鎌倉 オステリア コマチーナのパスタとつまみ81皿

亀井良真
Ryoma Kamei

daily PASTA book

KADOKAWA

もくじ　Indice

ピザ、パン　Pizza, Pane

ドルチェ　Dolce

ノート　Note

はじめに

コマチーナをオープンして10年。
“これでいいじゃん”をモットーに、なんでもないシンプルな料理を出してきました。
が、当初、それには勇気が要りました。
「切っただけ？」、「ゆでただけ？」、「焼いただけ？」、果ては「料理じゃないじゃん！」など、友人やお客様からの笑いながらの冗談は、僕にとっては褒め言葉でした。
そんななか「家で真似してみたけど全然違う」という声も多く、いつも「そんなに特別なことはやってないんですけど……」と返すしかなかったのですが、この“なんでもない料理”が一冊の本にまとまりました! というわけで、ぜひ、この本を見ながら作ってみていただけたらと思います。

今回こうして初めての本づくりという機会をいただき、あらためて（というか、初めてきちんと）レシピを起こしたことで、言葉や数字に表す難しさや、自分がひたすら感覚でやってきたことを思い知ることとなりました。反面、意外と思っていたよりいろいろやっているのかも!?と（前向きに）思ったり、プロとして恥ずかしいと思うこともあったり。あれこれ考え、学ぶことの多い撮影でした。結果、とても楽しく、初めての本づくりを終えることができました。

本書を読んで“料理ってこんなんでいいんだ”と、思っていただければ、幸いです。

料理をする前に。

＊ 計量は大さじ1＝15ml、小さじ1＝5ml、1カップ＝200mlのほか、液体もgで計量している場合があります。

＊ バターはすべて食塩不使用の発酵バターを使用しています。なければ食塩不使用のバターでも可。

＊ 生クリームは脂肪分の高いもの(p.149参照)を使用しています。

＊ E.V.オリーブオイルは加熱用と仕上げ用を分けて使用しています(p.148参照)。

＊ レシピ内に材料としてあるトマトソースはp.20を、にんにくはp.21の「にんにくオイル」を指します。

＊ 黒こしょうはミルで粗挽きにして使用しています。あらかじめ挽いてある粗挽き黒こしょうでも可。

＊ 赤唐辛子はイタリア産の細かく砕いたものを使用しています(p.148参照)。

＊ スパゲットーニを使ったメニューは、材料およびレシピ内は「スパゲットーニ」、料理名は「スパゲッティ」と表記しています。

＊ 揚げ油の温度は、高温＝180℃～、中温＝170℃、低温＝160℃を表しています。

＊ フライパンは鉄製とアルミ製のものを使用しています。フッ素樹脂加工のフライパンを使用する場合は、空焚きすると破損などのおそれがありますので、商品の注意書きに従って使用し、空焚きは控えてください。

＊ オーブンは業務用のガスオーブンを使用しています。家庭用のオーブンを使用する場合は、ガスでも電気でも、温度と時間はご自身のオーブンで加減しながら調整してください。

Pasta《パスタ》

パスタのこと。

この本で紹介しているパスタは、お店でも使用しているこの9種（メーカー名などp.148）。小麦の味がしっかりしていて、かつ食べ疲れないものを選んで使っています。本書で紹介しているパスタソースはシンプルなものが多いので、どのパスタと合わせてもおいしく出来上がるはず。というわけで、自由に組み合わせを楽しんでみてください。

リングイネ

Linguine

ロングパスタの1種。スパゲッティの円筒形に比べ、楕円形の切り口が特徴的なパスタ。ロングパスタが好きだけれど、スパゲッティは飽きた、というときに。ゆで時間は12分前後。

スパゲットーニ

Spaghettoni

スパゲッティの直径1.6～1.9mmに比べ、直径2mm以上という極太パスタ。小麦の味わいが深く感じられるのが好きでメインに使っている。ただ、ゆで時間が20分も……。

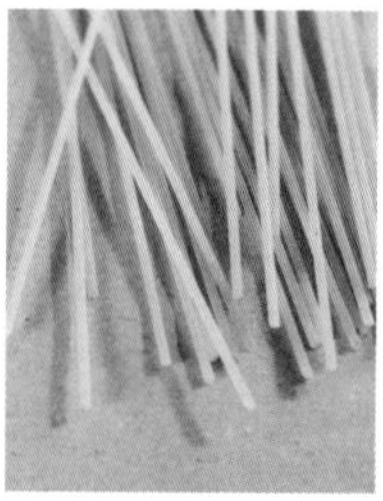

スパゲッティ

Spaghetti

日本人はやっぱりスパゲッティ！　スパゲットーニよりもやや細いので、その分ゆで時間も12分前後と短くなる。まかないはいつもコレ。ほどよいおいしさとゆで時間がいい。

ルマーケ

Lumache

カタツムリの殻の形をしたパスタ。小さい筋入りペンネがなくなったときに仕方なく使用してみたら、コロンとしていてソースもからみ、意外といい。ゆで時間は12分前後。グラタンにも。

ペンネ

Penne

コマチーナではやや大きめで筋なしのものを使用している。ペンネなのにツルッとしていておいしいけれど、コイツもゆで時間20分……。

カザレッチェ

Casarecce

断面がSの字のショートパスタ。昔から気に入って使っているのは何にでも合うから。ショートパスタを使いたいけど、ペンネじゃないなってときに。

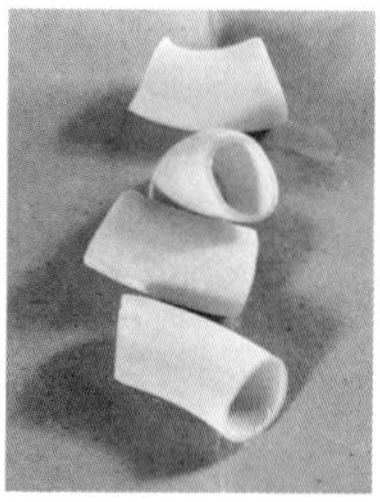

パッケリ

Paccheri

巨大マカロニのような、土管形のショートパスタ。かめばかむほど、小麦の味が感じられる力強い味わいがいい。ゆで時間も最強で最凶の25分。

オレキエッテ

Orecchiette

よく耳たぶ形と言われているけれど、うちのはUFO形。前の職場の婚礼メニューにあったため、やりすぎて親指が腱鞘炎になったこともあるほど、個人的になじみのあるパスタ。菜の花やブロッコリーを一緒にやわらかくゆでて、つぶしてソースのようにしてからめながら食べる方法（p.28）が一番有名。

タヤリン

Tajarin

うちで手打ちしている細切りのちぢれ麺。材料は粉と卵のみ。少々かたいくらいに仕上げてパスタマシーンでのばし、できるだけ細く切る（イタリア語でタヤリンは細切りを意味する語源ってこともあるので）。でも、均等でなくていい。少し凸凹しているくらいのほうがソースがからみやすいから。作るのが大変なこともあり、たまにペ◯ングでもいいんじゃないかと思ってしまう……。まかないでラーメンの麺にしてみたことも。

パスタのゆで方。

“袋の表示時間より短く”、“アルデンテに”などというパスタのゆで方をたまに耳にしますが、うちのパスタはさっとソースにあえるだけなのでアルデンテではなく、しっかりちょうどよくゆでます。ボウルであえるだけのものや、器に直接盛るときは、少し長めにゆでます。20分のゆで時間だったら、21分といった具合。パスタはあくまでも麺が主役の料理。だから、ゆでるときの湯の塩分量はとても重要。また、精製塩を使うとパスタの味がとげとげしくなるので、ゆで塩にはイタリアの海塩を使っています。

3人分のパスタの場合

1 大きめの鍋に水5ℓを入れ、粗塩45g前後を加えて湯を沸かす(a)。
2 パスタ240gを軽くねじってから鍋の真ん中めがけて入れる(b)。
3 はじめの1分はパスタ同士がくっつきやすいので菜箸などでやさしく混ぜながらゆでる(c)。火加減は沸騰ギリギリくらいの弱火(d)。
4 ゆで上がったらザルにあけて湯をきる(e)。

a

b

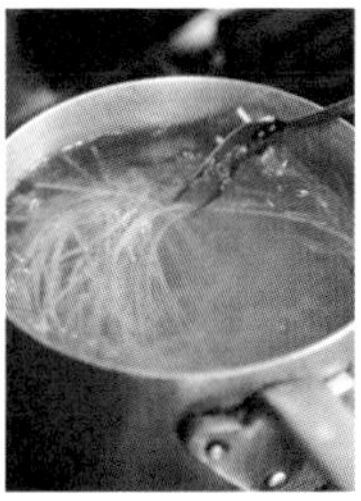

c

d

e

トマトとペコリーノのリングイネ

Linguine al Pomodoro e Pecorino

材料（1人分）
リングイネ…80g
トマトソース（p.20）…60g
塩…ひとつまみ
オリーブオイル（加熱用）…5g
バジルの葉…1枚
ペコリーノロマーノ…適量

1 リングイネはp.9の「パスタのゆで方」を参考にゆでる。
2 フライパンにトマトソース、塩、オリーブオイルを入れて火にかける。ふつっとしたら火を止め、バジルをちぎって加える。すぐにバジルをトマトソースの下に入れる。
3 ゆで上がったリングイネの湯をしっかりきって2に加え、さっとソースをからめる。
4 器に盛り、ペコリーノロマーノを好みの量、けずりかける。

＊ トマトソースは軽くあたためる程度にし、トマトのフレッシュ感を残す。また、パスタをソースにからめるときも、ソースをアツアツにせず、あたたかい状態で。フライパンをあおるのは2、3回程度で十分です。

＊バジルを加えたらすぐにトマトソースの下に入れると黒くなりにくい。

イカのスパゲッティ

Spaghetti con Calamari

材料（1人分）
スパゲッティ（1.6～1.9mm）…80g
イカ（胴体、ゲソなど合わせて）…70g
塩…ひとつまみ
黒こしょう…少々
オリーブオイル（加熱用）…5g
赤唐辛子…ひとつまみ
イタリアンパセリ（刻む）…少々
にんにく（p.21）…小さじ1/2
白ワイン…15g
ルッコラ（ざく切り）…ひとつかみ
オリーブオイル（仕上げ用）…適量

1 スパゲッティはp.9の「パスタのゆで方」を参考にゆでる。
2 イカは小さめのひと口サイズに切り、塩をふって、こしょうを挽く。
3 フライパンにオリーブオイル（加熱用）を入れてカンカンに熱し、イカを加えて炒める。はじめは動かさず、焼き色がついたらざっと混ぜて（a）赤唐辛子、イタリアンパセリ、にんにくを加える。さっと炒め合わせ、白ワインをまわしかけて（b）火を止める。
4 3にルッコラを加えて（c）やんわり火を通す。
5 ゆで上がったスパゲッティの湯をしっかりきって4に加え、さっとあえる（炒めない！）。4の水分が足りなければ、パスタを加える前に適量水を足す。
6 器に盛り、オリーブオイル（仕上げ用）をぐるっとまわしかける。

＊ イカの種類は何でもいい。僕がよく使っているのは赤イカ、ヤリイカ、アオリイカのゲソ。肝や墨はお好みで。
＊ にんにくや赤唐辛子の分量は目安です。好きな量を好きなだけどうぞ！

a

b

c

レモンクリームスパゲッティ

Spaghetti alla Crema di Limone

材料（1人分）
スパゲットーニ（2.2mm）…90g
レモン…1/8個（約6g）
バター…10g
生クリーム…40g

1 スパゲットーニはp.9の「パスタのゆで方」を参考にゆでる。
2 フライパンにレモンをしぼり、しぼった後のレモン、バターを入れ、火にかける。バターが溶けてきたら1のゆで汁を大さじ1と生クリームを加え混ぜ、沸騰寸前で火を止める（a）。
3 ゆで上がったスパゲットーニの湯をしっかりきって2に加え、さっとソースをからめる。
4 器に盛り、好みで赤唐辛子をかける。

＊ ルマーケ（マカロニ）（p.8）で作っても。ルマーケの分量は60g。
＊ レモンはできれば外国産の無農薬を使用するといい。

a

パスタソースの加減

パスタソースはそんなにアツアツじゃなくていい。理想はあたたかいくらい。だからソースを作りはじめると同時に、パスタをゆではじめることが多い。ゆで時間が20分のパスタだったら、先にゆで、10分くらいしてからソースを作りはじめるといい。先にソースが出来上がったら火を止め、パスタがゆで上がったら、水を少し足して軽くあたためるとちょうどいい。水分が少ないともったりするし、多いとシャバシャバになるので、その間を目指してください。

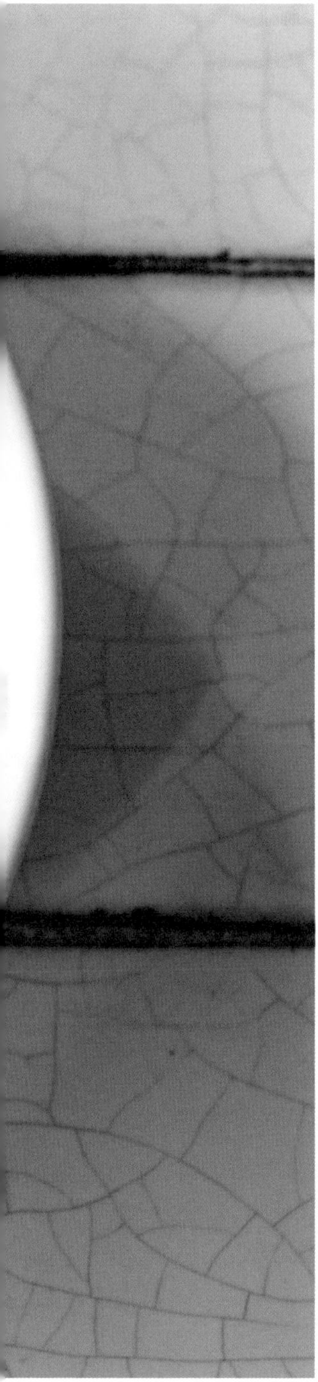

生ハムとチコリのスパゲッティ

Spaghetti con Radicchio e Prosciutto

材料（1人分）
スパゲッティ（1.6～1.9㎜）…80g
生ハム…60g
チコリ…40g
バター…20g

1 スパゲッティはp.9の「パスタのゆで方」を参考にゆでる。
2 生ハムとチコリは細く刻む。
3 フライパンにバターを熱し、溶けたところで1のゆで汁60gを加えて火を止める。
4 ゆで上がったスパゲッティの湯をしっかりきって3に加え、バターソースをからめる。
5 皿に盛り、2をのせる。

＊仕上がりはシャバッとしているぐらいでよい。

スパゲッティ アマトリチャーナ

Spaghetti all'Amatriciana

材料(1人分)
スパゲットーニ(2.2mm)…80g
グアンチャーレ、またはパンチェッタ…20g
赤玉ねぎ…15g
にんにく(p.21)…小さじ1/2
赤唐辛子…ひとつまみ
トマトソース(p.20)…60g
オリーブオイル(加熱用)…5g
ペコリーノロマーノ…適量
黒こしょう…適量

1 スパゲットーニはp.9の「パスタのゆで方」を参考にゆでる。
2 グアンチャーレは1cmほどの角切りにする。赤玉ねぎは繊維に沿って5mm幅ほどの薄切りにしてから半分の長さに切る。
3 フライパンにグアンチャーレとオリーブオイルを入れ、脂が溶けてチリチリして、ほんのりきつね色になったらにんにくと赤唐辛子を加える。
4 にんにくがシュワーッと沸いてきたらトマトソースを加え、すぐに赤玉ねぎも加えて火を止める。
5 ゆで上がったスパゲットーニの湯をしっかりきって4に加え、ソースをからめる。
6 器に盛り、ペコリーノロマーノをけずりかけ、こしょうを挽く。

ゆで塩のこと

ゆで汁に入れる塩を中途半端な量でゆでると、なんともしまりのない味になる。湯に塩を加えずにゆでた麺はしまりがないどころではない味になる。そのあといくらソースに塩を加えたとしても、時すでに遅し。
パスタの主役は麺。ソースのおいしさより、粉のうまみが重要。麺がゆで上がったら、ソースを作ったフライパンに加えて数回あおるのみで完成。なるべく回数は少なく。中でごちゃごちゃいじりまわさないほうがいい。だから、はじめにゆでながらパスタにしっかり塩味を浸透させておく必要があります。またそうすることで、小麦のおいしさをより感じることにもなるのです。

トマト缶について思うこと。

トマトの水煮缶を選ぶ際に気にしているのは塩分。使う前に味見をしてみて、味が薄ければ塩ひとつまみを加えて煮詰めればいいし、濃ければさっと煮ればいい。よくトマト缶の酸味を緩和するために砂糖を加えるという話を聞くけれど、煮詰めることでトマトの味が濃くなり、酸味とのバランスがよくなるので、僕は砂糖を使ったことがありません。高い値段のトマト缶を買う必要はないし、自分がおいしいと思うまで煮るってことでいいと思う。スーパーで買うならサンマルツァーノ種のトマト缶がおすすめ。ちなみに僕は、さらっと煮るくらいのトマトソースが気に入っています。

基本のトマトソース

Salsa di Pomodoro

材料（作りやすい分量）
トマト水煮缶…1缶（2.5kg）
にんにく…1片
オリーブオイル（加熱用）…適量
赤唐辛子…適量

1 鍋に包丁の腹や瓶の底などでつぶしたにんにくを入れる。鍋を傾け、にんにくがひたひたに浸るくらいまでオリーブオイルを入れて火にかける（a）。

2 にんにくがフツフツしていい香りがしてきたら、トマトの水煮を濾し器で濾しながら加える（b）。赤唐辛子も加えてひと煮する（c）。

＊ 氷水にあてて完全に冷まし（d）、密閉容器に入れて冷蔵庫で7日間保存可能。

a

b

c

d

にんにくは刻んでオリーブオイルに浸けておく。

生のままフードプロセッサーにかけ、オイルに浸しておいたにんにくは、僕にとって欠かせない調味料のようなもの。スライスする、つぶすなど、にんにくの使い方はいろいろあるけれど、僕の場合は、高温で具材を調理したあと、この「にんにくオイル」を加えてさっと炒め、白ワインやトマトソースなどを加えて火からおろすことがほとんどなので、そのたびににんにくを刻んでいる暇はない。ましてやパスタのソース作りと麺のゆで上がり時間とのせめぎ合いのようなときはもちろん、作り置きをしないドレッシングなどにもこれを作っておくと便利。やんわりとオイルに味を出したいときは、にんにくをつぶしてオイルの中で火を通したりすることもあるけれど、ほとんどがコレです。

にんにくオイル

Olio all'Aglio

材料(作りやすい分量)
にんにく…1個
オリーブオイル(加熱用)
…適量

1 にんにくは皮をむいて芽を取り除き、生のままフードプロセッサーにかける。

2 保存容器や空き瓶に移し入れ、ひたひたにオリーブオイル(加熱用)を注いでフォークでさっと混ぜる(a)。

＊ 保存瓶に入れ、冷蔵庫で10日間以上保存可。

a

トマトとモロヘイヤのスパゲッティ

Spaghetti con Pomodoro e Molokhia

材料（2人分）
スパゲッティ（1.6～1.9mm）…160g
トマト…1個
モロヘイヤの葉…ふたつかみ
ナス…1本
にんにく（p.21）…小さじ1/2
赤唐辛子…ひとつまみ
トマトソース（p.20）…50g
オリーブオイル（加熱用）…適量
塩…適量
オリーブオイル（仕上げ用）…適量

1 スパゲッティはp.9の「パスタのゆで方」を参考にゆでる。
2 トマトとモロヘイヤの葉はざく切りにする。ナスは縦半分に切ってから2cm角ほどに切る。
3 フライパンにやや多めにオリーブオイル（加熱用）を熱し、ナスを炒める。油がまわったらナスに向かってやや強めに塩をふる。ナスに焼き目がついたら、にんにくと赤唐辛子を加えてざっと炒める。
4 すぐにトマトとトマトソースを加えて炒め合わせ、モロヘイヤを加えてややしんなりするまでさらに炒める。
5 ゆで上がったスパゲッティの湯をしっかりきって4に加え、あえる。
6 器に盛り、オリーブオイル（仕上げ用）をぐるっとまわしかける。

＊ 豚バラ薄切り肉や葉唐辛子を加えてもおいしい。

リングイネ　トマトとバター

Linguine al Pomodoro e Burro

材料（1人分）
リングイネ…80g
トマトソース（p.20）…70g
塩…ふたつまみ
オリーブオイル（加熱用）…少々
バター…30g

1 リングイネはp.9の「パスタのゆで方」を参考にゆでる。
2 フライパンにオリーブオイル（加熱用）、トマトソース、塩を入れ、弱火でとろっとするまで煮詰める（濃いめのトマトソースを作るイメージで）。
3 ゆで上がったリングイネの湯をしっかりきって2に加えてからめる。
4 器に盛り、バターをかたまりのままのせる。

＊ 冷めたときのバターのコクもまたおいしい、シンプルな味わい。

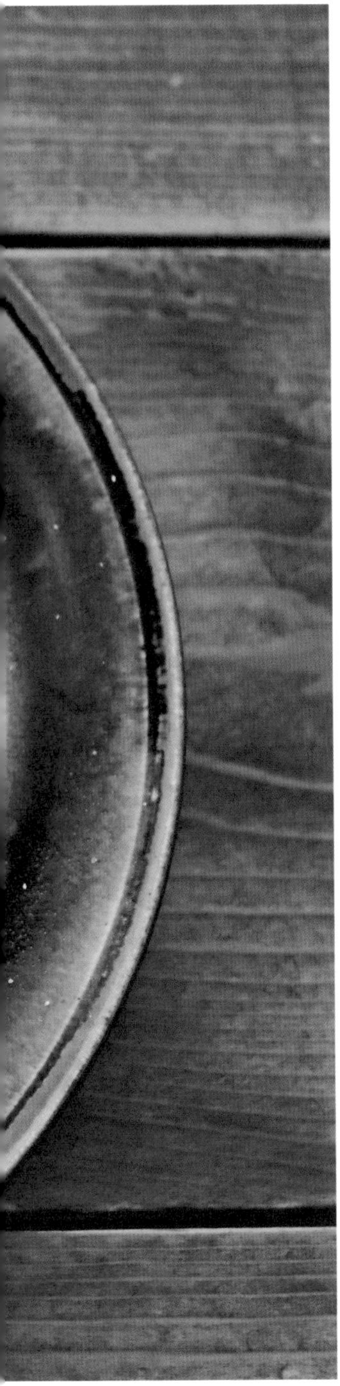

カラスミのスパゲッティ

Spaghetti con la Bottarga

材料（1人分）
スパゲッティ（1.6〜1.9mm）…80g
カラスミ（パウダー）…10g
にんにく（p.21）…小さじ1
赤唐辛子…ひとつまみ
イタリアンパセリ（刻む）…軽く3つまみ
塩…ひとつまみ
オリーブオイル（加熱用）…10g
オリーブオイル（仕上げ用）…適量

1 スパゲッティはp.9の「パスタのゆで方」を参考にゆでる。
2 フライパンににんにく、赤唐辛子、オリーブオイル（加熱用）を入れ、火にかける。にんにくがシュワーッと沸いてきたら火からおろし、余熱でうっすらきつね色になるまで火を通す（にんにくに火が入りすぎそうだと思ったら、水をはったボウルにフライパンの底をあて、冷ます。決してソースに水を入れたりしないように）。
3 イタリアンパセリと塩を加え混ぜ、ゆで上がったスパゲッティの湯をしっかりきって加え、オイルとからめる。
4 器に盛り、カラスミをふってオリーブオイル（仕上げ用）をぐるっとまわしかける。

＊ カラスミの分量は目安です。たっぷりどうぞ。
＊ オイルの温度は熱すぎないように。あたたかいくらいがいい。フライパンにスパゲッティを加えたら、さっとからめるくらいで。決して炒めないこと。
＊ カラスミはパウダーのものがないときは、かたまりのものを冷凍して刻んでからフードプロセッサーで攪拌するとパウダー状になる。

トラパニ風ペンネ

Penne al Pesto Trapanese

材料（1人分）
ペンネ…60g
フルーツトマト…50g
アーモンド（ロースト）…25g
バジルの葉…2～3枚
にんにく（p.21）…ほんの少し
塩…ひとつまみ
オリーブオイル（仕上げ用）…12g

1 ペンネはp.9の「パスタのゆで方」を参考にゆでる。
2 フルーツトマトはざく切り、アーモンドは粗く刻む。バジルは適当な大きさにちぎる。
3 フードプロセッサーに2とにんにくを入れ、フルーツトマトに塩をふって2秒ほど攪拌する（攪拌しすぎないように）（a）。
4 ボウルに3を移し入れ、オリーブオイル（仕上げ用）をまわしかける。
5 ゆで上がったペンネの湯をしっかりきって4に加え、ざっとあえる。

＊ アーモンドはシチリア産か、スペイン産のマルコナ種がおすすめ。

a

ブロッコリーのオレキエッテ

Orecchiette ai Broccoli

材料（1人分）
オレキエッテ（p.32）…70g
ブロッコリー…100g
にんにく（p.21）…小さじ1/2
赤唐辛子…少々
アンチョビフィレ…1切れ
イタリアンパセリ（刻む）…ひとつまみ
白ワイン…大さじ1/2強
オリーブオイル（加熱用）…10g
オリーブオイル（仕上げ用）…適量

1 オレキエッテはp.9の「パスタのゆで方」を参考にゆでる。
2 フライパンににんにく、赤唐辛子、アンチョビ、オリーブオイル（加熱用）を入れ、火にかける。にんにくがシュワーッと沸いてきたらイタリアンパセリと白ワインを加え、もうひと煮立ちしたら火からおろす。
3 ブロッコリーは小房に分ける。茎は外側のかたい部分をけずり、食べやすい大きさに切る。オレキエッテをゆでている湯で一緒に7分ほどゆでる（a）。
4 ゆで上がったオレキエッテとブロッコリーの湯をしっかりきって（特にブロッコリーのゆで汁をしっかりきらないとしょっぱくなるので注意！）2のフライパンに加え、スプーンでブロッコリーをつぶしながらあえる（b）。
5 器に盛り、オリーブオイル（仕上げ用）をぐるっとまわしかける。

a

b

牛肉ラグーのタヤリン

Tajarin al Ragù

材料（1人分）
タヤリン（p.33）…100g
牛肉のラグー（p.31）…30g
黒こしょう…適量

1 タヤリンはp.9の「パスタのゆで方」を参考にゆでる。
2 フライパンに牛肉のラグーを入れ（黒粒こしょうは取り除く）、あたためる。
3 ゆで上がったタヤリンの湯をしっかりきって2に加え、さっとあえる。
4 器に盛り、こしょうを挽く。

＊ 肉は申し訳程度に入っているくらいでいい。

牛肉のラグー

Ragù di Manzo

材料（作りやすい分量）
牛ハラミ…1kg
玉ねぎ…50g
にんにく（大）…1片
オリーブオイル（加熱用）…適量
A
- 黒粒こしょう…50粒
- ローズマリー…1枝
- ローリエ…2枚

塩…適量
赤ワイン…適量
トマトソース（p.20）…少々

1 牛肉は1cm角に切り、常温にもどしておく（a）。玉ねぎはみじん切りにする。

2 鍋に、包丁の腹や瓶の底などでつぶしたにんにくを入れる。鍋を傾け、にんにくがひたひたに浸かるくらいまでオリーブオイル（加熱用）を入れ、Aを加えて火にかける（b）。にんにくがきつね色に色づき、ハーブがしんなりしたら玉ねぎを加えて強火で水分をとばすように炒め、火からおろす（c）。

3 鉄のフライパンをカンカンに熱し、オリーブオイル（加熱用）少々を入れて牛肉を焼く。はじめは動かさず、表面の色が変わってきたら（d）ヘラで炒める。全体に焼き目がついたら塩をふり（そのまま肉を食べてちょうどいいくらいの塩加減に）、赤ワインを少量加えて鍋肌についたソースをこそげ落とす（e）。

4 2の鍋に3を加え、さらにひたひたに赤ワインを注ぐ（f）。おまじない程度にトマトソースを加えて（g）混ぜ合わせる。ふたをして230℃のオーブンで20分ほど焼く。

＊ オーブンに鍋が入らなければ、そのまま弱火で20分ほど煮る（焦げつかないよう、ときどき様子を見て、水分が足りなければ水を足す）。

5 ざっと混ぜ、鍋を斜めにして出てきた余分な脂を取り除く（h）。

＊ 1人分ずつラップをし、冷凍庫で1カ月ほど、冷蔵庫で1週間ほど保存可。

a

b

c

d

e

f

g

h

手打ちパスタ。

コマチーナでよく手打ちしているパスタはこの2種。あれこれやってみたけれど、味わい的にも、作りやすさも、この2種はピカイチ。ぬるま湯と粉、卵と粉のみのシンプルな材料だからこそ感じられるうまみと、ソースにからみやすいのもいいところ。手打ちだから乾麺よりおいしい、ということはないけれど、ゆで時間が短いのは最大の利点です(仕込みの時間はかかりますが)。

オレキエッテ
Orecchiette

修業時代から作ってきたオレキエッテ。材料はセモリナ粉とぬるま湯だけ。成形もシンプルで見た目もかわいらしいパスタ。

材料(作りやすい分量)
デュラムセモリナ粉…300g
ぬるま湯…125g前後

1 ボウルに粉とぬるま湯を入れ、混ぜ合わせる。ひとまとまりになったらボウルをかぶせて30分ほど休ませる(a)。
2 手でひとにぎりできるくらいの生地をとり(b)、ヒモ状にのばす(c)。スケッパーで1cmの長さに切る(d)。
3 親指で“のの字”を描くように生地を押し、最後をギュッと押してから裏返す(e-1〜e-3)。
4 バットに並べ､冷凍庫で冷やしかためる(f)。完全にかたまったら、適量ずつ袋に入れ、まとめて保存する。

＊ ゆで時間は6〜7分。

a

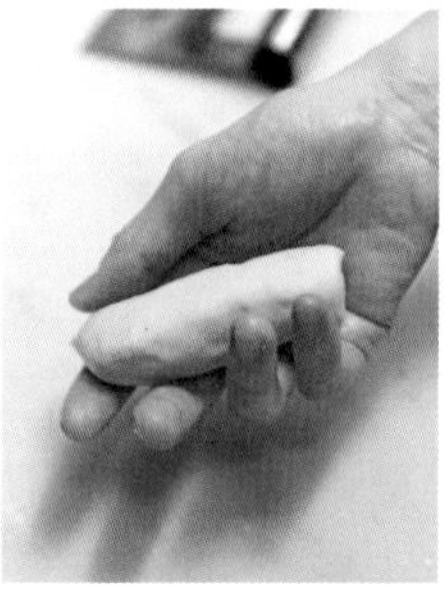
b

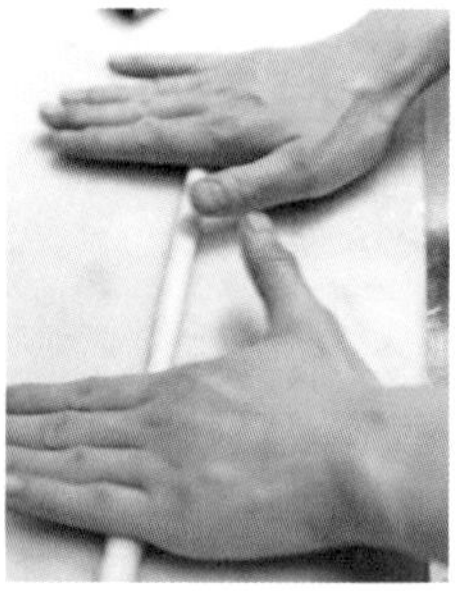
c

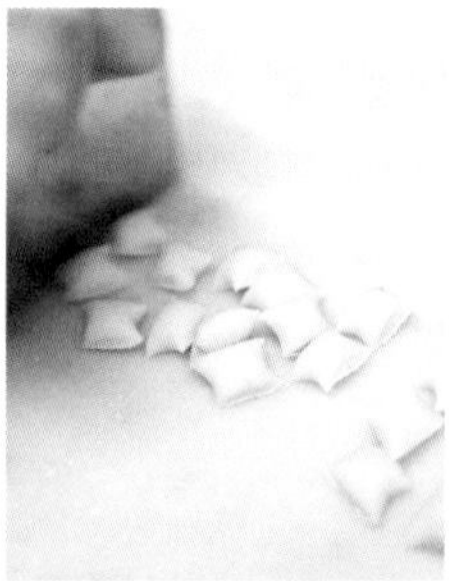
d

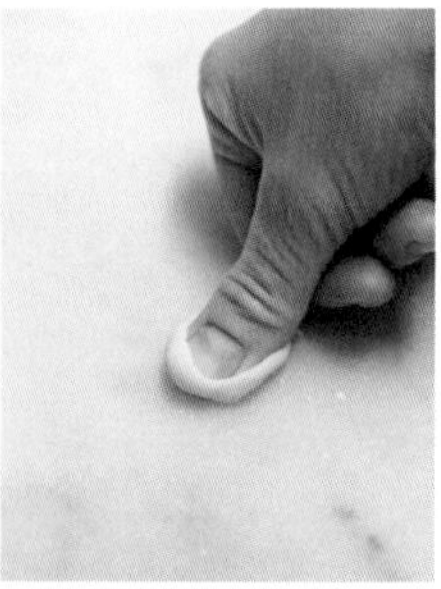
e-1

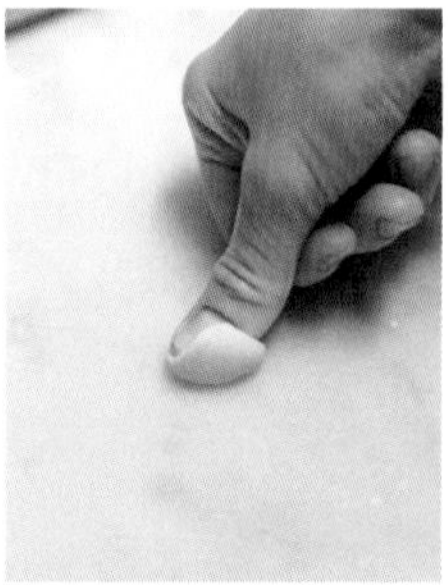
e-2

e-3

f

タヤリン

Tajarin

北イタリアを旅したときに食べたものがおいしくて、以来、ハマってしまい自分で手打ちするようになったもの。僕は卵と粉だけで作っている。個人的には作りながらつい、インスタントの焼きそばを彷彿してしまう。細さはできる限りでいい。

材料（作りやすい分量）
軟質小麦粉
（ムリーノマリーノ p.148）
…375g
卵…3個

1 ボウルに粉を入れ、卵を割り入れて手で卵黄をつぶす（a）。両手の指を使って卵に粉をまぶしていくイメージで両方を合わせていく（b）。
2 全体が混ざったらひとまとめにし、ボウルの中でこねる。まとまらない場合は、手を水にさっとぬらして調整する。水分はギリギリ加える程度にする。生地はかためでいい。ひとまとまりになったら、ラップに包んで20分ほど常温におく（c）。
3 手のひらで生地をある程度平らにし、パスタマシーンに入れてのばす。はじめは厚さを最大にし、最後は2mmにしてのばす（d）。
4 生地が均一にのびたら、8等分に切る（e）。1枚ずつ重ねては打ち粉をし、重ねる。
5 半分に折り、手前から奥にナイフの刃をすべらせるようにしてできるだけ細く切る（f）。
6 切った麺をほぐし（g）、打ち粉（分量外 軟質小麦粉）をして好みの分量ずつにまとめ、冷凍保存する（h）。

＊ ゆで時間は4分前後。

a

b

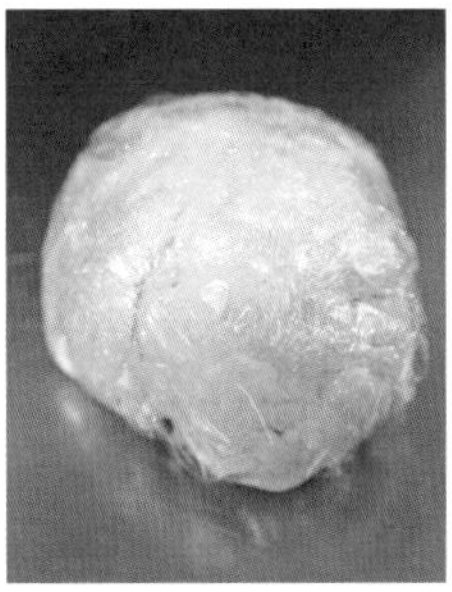
c

d

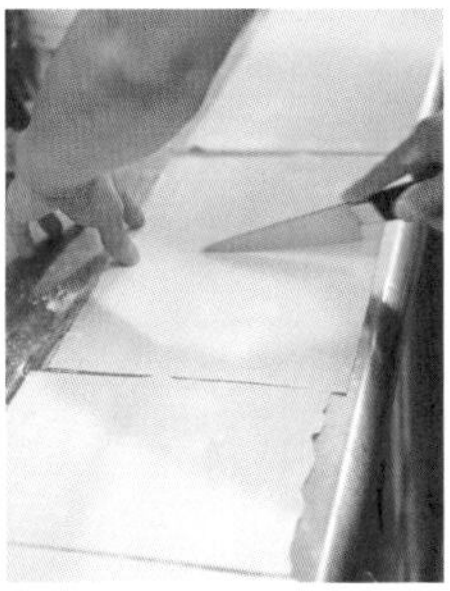
e

f

g

h

スパゲッティ カルボナーラ

Spaghetti alla Carbonara

材料（1人分）
スパゲットーニ（2.2mm）…90g
グアンチャーレまたはベーコン
…20g
バター…20g
卵…1個
パルミジャーノレジャーノ…15g
ペコリーノロマーノ…3g
黒こしょう…適量
イタリアンパセリ…適量

1 スパゲットーニはp.9の「パスタのゆで方」を参考にゆでる。
2 ボウルに卵を割り入れ、卵白の水っぽい部分を取り除く。パルミジャーノレジャーノとペコリーノロマーノをけずり入れ、フォークでざっと混ぜる(a)。
3 グアンチャーレは1cm角に切る。スパゲットーニがゆで上がる1分前に、フライパンにグアンチャーレとバターを入れ、火にかける。バターが溶けてブクブク煮立ってきつね色になるまで加熱する。
4 ゆで上がったスパゲットーニの湯をしっかりきって2に加えてあえ(b)、器に盛る。
5 4に3をジュワーッとまわしかけ(c)、こしょうをたっぷり挽く。イタリアンパセリをちぎって散らす。

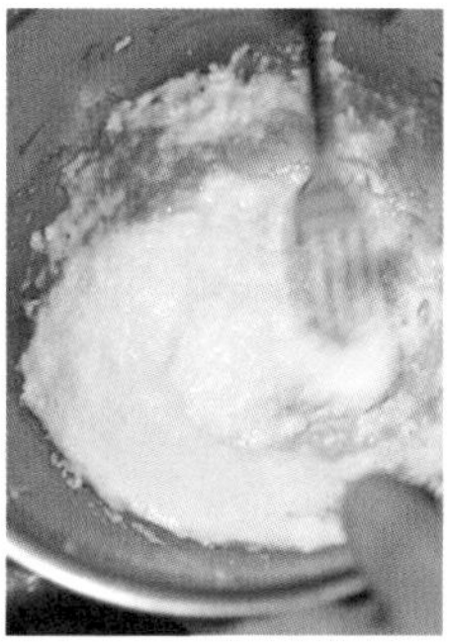
a

b

c

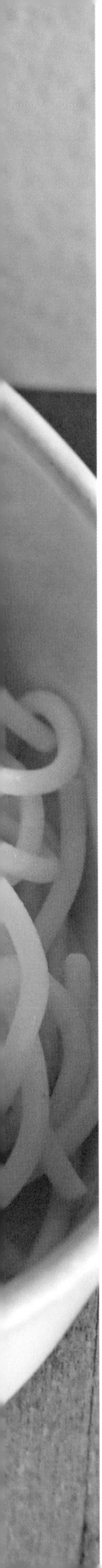

タコのペペロンチーノ

Spaghetti Aglio, Olio, Peperoncino e Polpo

材料(1人分)
スパゲットーニ(2.2mm)…80g
ゆでダコの足…70g
にんにく(p.21)…小さじ1
赤唐辛子…ひとつまみ
オリーブオイル(加熱用)…10g
イタリアンパセリ(刻む)…ひとつまみ
オリーブオイル(仕上げ用)…適量

1 スパゲットーニはp.9の「パスタのゆで方」を参考にゆでる。
2 ゆでダコは食べやすい大きさに切る。
3 フライパンににんにく、赤唐辛子、オリーブオイル(加熱用)を入れ、火にかける。にんにくがシュワーッと沸いたら2とイタリアンパセリを加えてざっとあえ、火からおろす。にんにくに向かって塩少々(分量外)をふる。
4 ゆで上がったスパゲットーニの湯をしっかりきって3に加え、オイルをからめながらあえる。
5 器に盛り、オリーブオイル(仕上げ用)をぐるっとまわしかける。

＊ 目安は、にんにくがうっすらきつね色になっているくらい。にんにくに火が入りすぎたら、フライパンの底を水にさっとつけると火の入りが止まる。

塩はできるだけ最初にキメる

塩は塩味をつけたいものに向かってふる。タコのペペロンチーノだったら、オリーブオイルの中でシュワーッと沸いたにんにくにふる。それぞれの味わいを構築させ、なじんでいくのがいいので、タコは塩水でゆでてある分、塩はふらない。塩は最初にギリギリまで攻めないとダメだと思っています。後から足した塩味はおじけづいた味わいになってその気持ちが料理に表れてしまう。後から足せばいい、というのは僕の料理にはないルール。だいたいなんでも最初から決めてかかる。特に塩はそう。とても大事です。

ペンネ カーチョエペペ

Penne al Cacio e Pepe

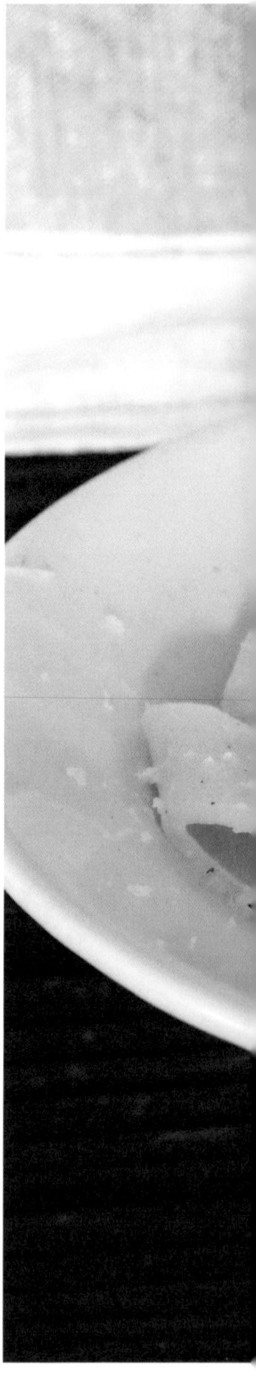

材料（1人分）
ペンネ…60g
ペコリーノロマーノ…適量
黒こしょう…適量
オリーブオイル（仕上げ用）…適量

1 ペンネはp.9の「パスタのゆで方」を参考にゆでる。
2 ゆで上がったペンネの湯をしっかりきって器に盛り、ペコリーノロマーノをけずりかける。こしょうを挽き、オリーブオイル（仕上げ用）をたっぷりまわしかける。

＊ ゆで上がったペンネは火にかけず、直接器に盛るので少しやわらかめにゆでるといい。分量はすべてお好みで。

貧乏パスタ

いわゆる“貧乏パスタ”とは、ゆでたパスタにチーズとこしょうをたっぷりかけ、オイルをまわしかけた「カーチョエペペ」的なものや、ゆで上げたパスタにバターを合わせるだけのもの。こんなネーミングだし、手間もかかってないのに十分おいしい。スパゲッティでもいいけれど“マルタリアーティ”と呼ばれる切りっぱなしの手打ちパスタで作るのもおすすめ。
フライパンにバターを溶かし、ゆで上げたパスタを加えてゆで汁少々を落とす。あとはヘラで混ぜながらバターとからめるだけ。塩も加えない。まずはそのまま食べ、飽きてきたらこしょうやチーズを加えてみたりしてください。

香菜とアーモンドのスパゲッティ

Spaghetti al Coriandolo e Mandorla

材料（1人分）
スパゲッティ（1.6～1.9mm）…80g
香菜…ひとつかみ
にんにく（p.21）…2g
赤唐辛子…ふたつまみ
オリーブオイル（加熱用）…15g
＊ガルム（p.148）…少々
アーモンド（ローストして刻む）…適量
レモン…1/8個

1 スパゲッティはp.9の「パスタのゆで方」を参考にゆでる。香菜はざく切りにする。
2 スパゲッティがゆで上がる直前に、フライパンににんにく、赤唐辛子、オリーブオイル（加熱用）を入れて火にかける。
3 ゆで上がったスパゲッティの湯をしっかりきって器に盛り、香菜をどさっとのせる。
4 2のにんにくがうっすらきつね色になったらアツアツのオイルを香菜めがけてまわしかけ、ガルムをふりかける。アーモンドを散らして、レモンを添える。

＊ ガルムとはイタリアの魚醤。ナンプラーや少し甘めの日本の魚醤に比べ、引きしまった味わいが気に入っている。

スパゲッティ プッタネスカ

Spaghetti alla Puttanesca

材料（1人分）
スパゲットーニ（2.2mm）…80g
A
- にんにく（p.21）…2g
- 赤唐辛子…ひとつまみ
- アンチョビフィレ…1切れ
- 黒オリーブ…6個
- グリーンオリーブ…2個
- ケッパー…15粒
- オリーブオイル（加熱用）…5g弱

イタリアンパセリ（刻む）…少々
白ワイン…少々
トマトソース（p.20）…小さじ1
オリーブオイル（仕上げ用）…適量

1 スパゲットーニはp.9の「パスタのゆで方」を参考にゆでる。
2 フライパンにAを入れ、強火にかける（a）。にんにくがシュワーッと沸いて、水分がとんだらイタリアンパセリ、白ワイン、トマトソースを順に加えてさっと混ぜ合わせ、火を止める。アンチョビは軽くつぶしておく（b）。
3 ゆで上がったスパゲットーニの湯をしっかりきって2に加え、あえる。
4 器に盛り、オリーブオイル（仕上げ用）をぐるっとまわしかける。

a

b

イワシのスパゲッティ

Spaghetti con le Sarde

材料(1人分)
スパゲットーニ(2.2mm)…90g
シコイワシ…6～7尾
塩…適量
にんにく(p.21)…2g
ウイキョウの葉(刻む)
　…軽くひとつかみ
赤唐辛子…ひとつまみ
オリーブオイル(加熱用)…5g
白ワイン…15g
トマトソース(p.20)…60g
オリーブオイル(仕上げ用)…適量

1 シコイワシは手開きにし、中骨と背びれを取って開き、腹側に強めに塩をふる。バットを敷いた網などに並べ、冷蔵庫でひと晩乾燥させる(a)。

2 スパゲットーニはp.9の「パスタのゆで方」を参考にゆでる。

3 フライパンに1のシコイワシ、にんにく、赤唐辛子、オリーブオイル(加熱用)を入れ、火にかける。にんにくがシュワーッと沸いてきたらウイキョウを加え、シコイワシをヘラでつぶしながら炒め合わせる。

4 水分がとんだら白ワインとトマトソースを加えて煮る。とろっと煮詰まってきたら(b)火を止める。ゆで上がったスパゲットーニの湯をしっかりきって加え、からめる。

5 器に盛り、オリーブオイル(仕上げ用)をぐるっとまわしかける。

＊ シコイワシは多めに仕込み、余った分は水けをふいてオイル漬けに。密閉容器に入れ、冷蔵庫で1週間保存可(c)。

＊ 夏前、シコイワシと柑橘類が出回る時季になると作るメニュー。真イワシ、ウルメイワシでも可。

＊ ウイキョウは根をサラダに、葉は刻んで冷凍しておく(d)といつでも使えて便利。豚肉や鶏肉の煮込み料理の香り付けにもなる。

a

b

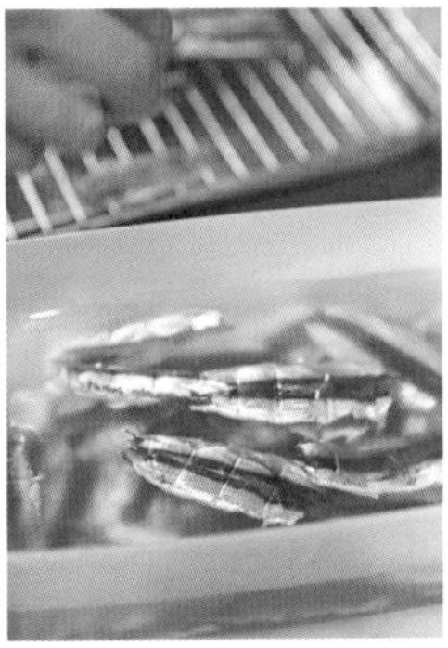
c

d

ウニのペペロンチーノ

Spaghetti Aglio, Olio, Peperoncino e Ricci di Mare

材料（1人分）
スパゲットーニ（2.2mm）…90g
生ウニ…適量
にんにく（p.21）…2g
赤唐辛子…ふたつまみ
オリーブオイル（加熱用）…15g
イタリアンパセリ（刻む）…適量
オリーブオイル（仕上げ用）…適量

1 スパゲットーニはp.9の「パスタのゆで方」を参考にゆでる。
2 フライパンににんにく、赤唐辛子、オリーブオイル（加熱用）を入れて火にかける。にんにくがシュワーッと沸いてきたら火からおろし、余熱でうっすらきつね色になるまで火を通す。
3 イタリアンパセリを加え混ぜ、軽く塩（分量外）をふる。ゆで上がったスパゲットーニの湯をしっかりきって2に加え、オイルとからめる。
4 器に盛り、ウニをのせてオリーブオイル（仕上げ用）をぐるっとまわしかける。

＊ ウニは塩水に浸かっている生のものを使用。
＊ オイルの温度は熱すぎないように。あたたかいくらいがいい。フライパンにスパゲットーニを加えたらからめるくらいで。決して炒めないこと。
＊ 生ウニを生しらすや明太子に替えて作ってもおいしい。明太子の場合は仕上げにバターを落としてもいい。

オイルにからめるということ

ペペロンチーノなどオイル系のパスタは、できるだけソースに水分を入れないのが鉄則。入ってもせいぜいイタリアンパセリの水分くらい。パスタがゆで上がる少し前にソースを仕上げ、火を止める。ゆで上がったパスタを加え、火から離してざっとあえる程度で仕上げる。アツアツのオイルに加えると、サラサラしてからみにくく、ただ油っぽくなるだけなので注意。

カツオとナスのカザレッチェ

Casarecce con Tonnetto e Melanzane

材料（4人分）
カザレッチェ…200g
カツオ（炙ったもの・p.76）…200g
ナス…2本
A
　にんにく（p.21）…小さじ2
　赤唐辛子…ひとつまみ
　オレガノ（乾燥）…適量
塩…適量
オリーブオイル（加熱用）…45g
白ワイン…60g
トマトソース（p.20）…200g
ケッパー…20粒
オリーブオイル（仕上げ用）…適量

1 カザレッチェはp.9の「パスタのゆで方」を参考にゆでる。
2 カツオはひと口大に切って全体にきつめに塩をふる。Aを加えてオリーブオイル（加熱用）を15gまわしかけてあえる（a）。
3 ナスは2cm角ほどに切り、軽く塩をふる。
4 フライパンに残りのオリーブオイル（加熱用）を入れ、カンカンに熱する。ナスと2を加えてさっと炒める。白ワインをまわしかけてさっと炒め、トマトソースとケッパーを加えて軽く煮詰める（b）。
5 ゆで上がったカザレッチェの湯をしっかりきって4に加え、あえる。
6 器に盛り、オリーブオイル（仕上げ用）をぐるっとまわしかける。

＊ 炙りカツオのカルパッチョ（p.77）を作った後の残りで作れる、無駄なしメニュー。

a

b

スルメイカラグーのスパゲッティ

Spaghetti al Ragù di Calamari

材料（1人分）

スパゲッティ（1.6～1.9mm）…80g

スルメイカラグー（4人分）

- スルメイカ…2ハイ
- にんにく…1片
- 赤唐辛子…ひとつまみ
- トマトソース（p.20）…20g
- アンチョビフィレ…1切れ
- オリーブオイル（加熱用）…適量
- 白ワイン…適量
- 塩、黒こしょう…各適量

1 スルメイカラグーを作る。スルメイカは軟骨を取り除き、肝と墨をそっと取り出して身と分けておく。目玉と嘴《くちばし》を取り除き、適当な大きさに切ってからフードプロセッサーで攪拌し、ミンチ状にする（a）。

2 鍋に包丁の腹や瓶の底でつぶしたにんにくを入れる。鍋を傾け、にんにくが浸かるくらいまでオリーブオイル（加熱用）を入れて火にかける。きつね色になったら赤唐辛子を加える。

3 鉄のフライパンをカンカンに熱し、オリーブオイル（加熱用）をふたまわし入れて1を炒める。はじめはいじらず、焼き目がついたら炒め合わせる（b）。水分がなくなり、ポロポロになってきたら塩をふり、こしょうを挽く。白ワインをひとまわし加えて（c）フライパンの底をこそげて2に加え混ぜる。

4 白ワインをひたひたに加え、肝とあれば墨も加える（d）。続けてトマトソースとアンチョビも加えて（e）つぶしながら強火で煮詰める。ほぼ水分がなくなり、もったりしてきたらオリーブオイル（加熱用）をひとまわし加えてひと煮する（f）。

5 p.9の「パスタのゆで方」を参考にスパゲッティをゆで、湯をしっかりきって器に盛る。4を適量かける。

＊ 残りのラグーは密閉容器に入れ、冷蔵庫で1週間ほど保存可。

a

b

c

d

e

f

具なしナポリタン

Spaghetti Naporitan

材料（2人分）
スパゲッティ（1.6～1.9mm）
…160g
A
- 赤玉ねぎ…1/8個
- しょうが…1/4かけ
- セロリ…20g

B
- トマトソース（p.20）…140g
- 白ワインビネガー…少々
- マスタード…10g
- クローブ…ひとつまみ
- シナモン…2g
- 塩…ふたつまみ
- 砂糖…15g

オリーブオイル（加熱用）…20g

1 スパゲッティはp.9の「パスタのゆで方」を参考にゆでる。

2 Aはフードプロセッサーにかけて攪拌するか、細かく刻む。

3 フライパンに**2**とオリーブオイル（加熱用）を10g入れ、水分をとばすように強火でさっと炒める。

4 **3**にBと残りのオリーブオイル（加熱用）を加え（a）混ぜ、もったりするまで煮詰める。

5 ゆで上がったスパゲッティの湯をしっかりきって加え、炒めあえる。

＊ パスタは通常絶対炒めないが、ナポリタンだけは別！ パスタとソースを炒めることでナポリタンらしさが出る！

＊ ソースは多めに作っておき、密閉容器に入れて冷蔵庫で7日間保存可。

a

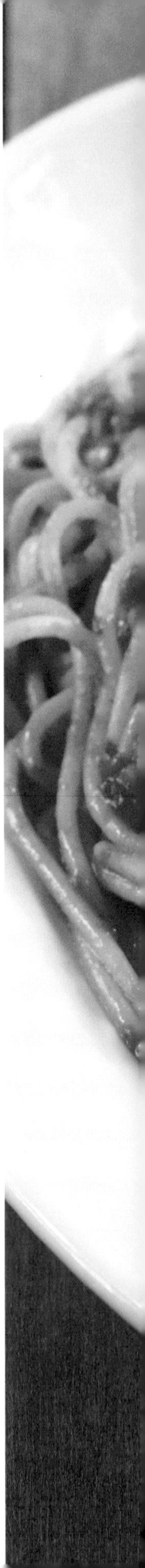

ポルチーニ茸のパッケリ　クリームソース

Paccheri alla Crema di Funghi Porcini

材料（2人分）
パッケリ…140g
ポルチーニ茸（冷凍）…70g
にんにく（p.21）…小さじ1/2
白ワイン…ひとまわし
生クリーム…40g
バター…20g
パルミジャーノレジャーノ…適量
オリーブオイル（加熱用）…10g
塩、黒こしょう…各適量

1 パッケリはp.9の「パスタのゆで方」を参考にゆでる。
2 ポルチーニ茸はある程度自然解凍し、小さめのひと口大に切って強めに塩をふっておく。
3 フライパンにオリーブオイル（加熱用）を軽く熱して2をさっと炒める。弱火にし、ポルチーニ茸がきつね色になるまで炒める。
4 にんにくを加えて炒め合わせ、白ワイン、生クリーム、バターを順に加えて（a）さっと混ぜ合わせる。
5 ゆで上がったパッケリの湯をしっかりきって4に加え、からめる。
6 器に盛り、パルミジャーノレジャーノをけずりかけ、こしょうを挽く。

a

魚のクスクス

Cous cous di Pesce

材料(2人分)
クスクス…100g
白身魚の切れはし 60g
クスクス用スープの素
　魚のあら…約1kg
　ローリエ…2枚
　イタリアンパセリの茎…あれば数本
A
　アーモンド(ローストして砕いたもの)
　　…15g
　イタリアンパセリ…10g
　にんにく(p.21)…小さじ1弱
B
　トマトソース(p.20)…100g
　シナモン(粉末)…1g
　赤唐辛子…ふたつまみ
　黒こしょう…たっぷり
　塩…3つまみ
イタリアンパセリ(刻む)…少々
にんにく(p.21)…小さじ1/2
白ワイン…少々
オリーブオイル(加熱用)…適量
オリーブオイル(仕上げ用)…適量

1 クスクス用スープの素を取る。鍋に魚のあらを入れ、200℃のオーブンで40～50分焼くか、水分がとぶまで炒める(a)。
2 ひたひたに水を加え、ローリエとあればイタリアンパセリの茎を加えて火にかける。煮立ったら弱火にし、1時間ほど煮て(b)ザルで濾す。ボウルなどを使って上から押しつけ、最後の一滴までしぼり取る(c)。
3 クスクスはパスタをゆでる塩加減の湯1/4カップ(分量外)を加えてふやかす。
4 Aはフードプロセッサーで細かく攪拌する。
5 鍋に2の濾した汁、4、Bを入れ、もったりするまで煮詰める(d)。
6 白身魚の切れはしは1cm角に切り、軽く塩をふってこしょう(ともに分量外)を挽く。
7 フライパンにオリーブオイル(加熱用)を入れ、カンカンに熱して6を炒める。はじめはいじらず、焼き目がついたらイタリアンパセリ、にんにく、白ワインを加え、パスタをゆでる塩加減の湯1/4カップと水1/2カップ(ともに分量外)を加える。
8 煮立ったら5を100g加えてさっと混ぜ、3を加える。クスクスがスープを吸って程よいかたさになったら火からおろす。
9 器に盛り、オリーブオイル(仕上げ用)をぐるっとまわしかける。

＊ 5で煮詰めたソースは密閉容器に入れ、冷蔵庫で1週間、冷凍庫で1カ月保存可。

a

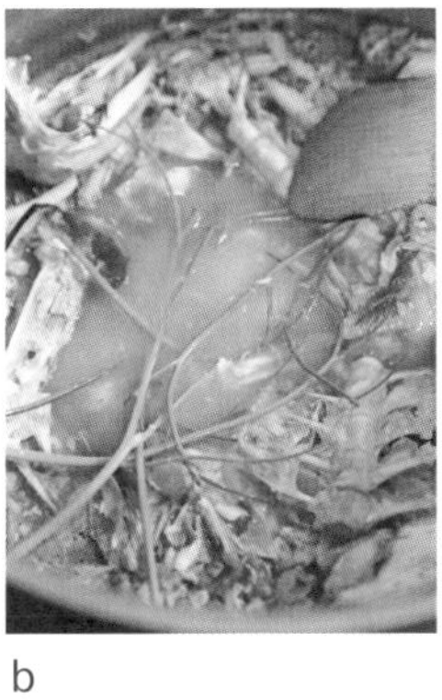
b

c

d

アサリとサフランのリゾーニ

Risoni allo Zafferano con le Vongole

材料（1人分）
リゾーニ（米形のショートパスタ）…60g
アサリのだし（冷凍したもの・下記参照）…30g
イタリアンパセリ（刻む）…ひとつまみ
サフラン（粉末）…ひとつまみ
バター…20g

1 リゾーニはp.9の「パスタのゆで方」を参考にゆでる。湯に加える塩は通常よりやや少なめにする。また、初めは鍋底やリゾーニ同士がくっつきやすいのでヘラなどでよく混ぜる。
2 フライパンにアサリのだし（a）と水を少々、イタリアンパセリを入れ、煮立ったらサフラン（b）を加える。バターを加えて火を止める。
3 ゆで上がったリゾーニの湯をしっかりきって、2に加えてあえる。

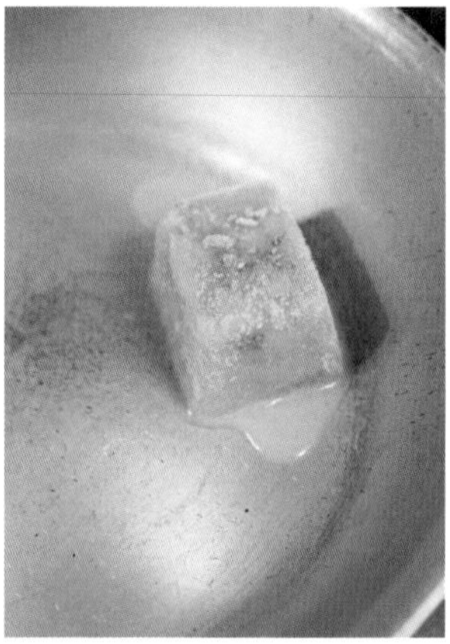
a

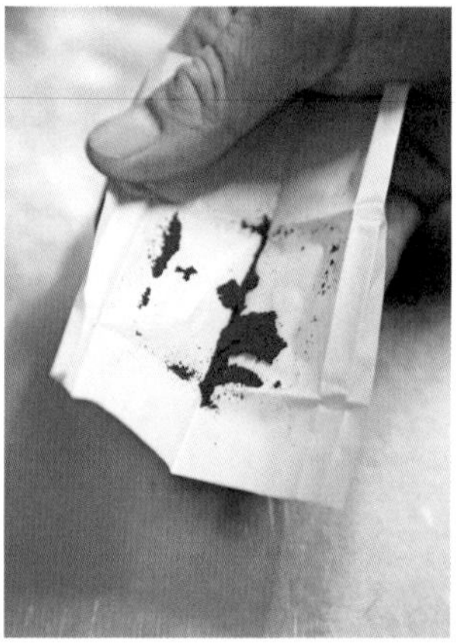
b

アサリのだしの取り方

1 アサリ1kgは砂出しする。
2 鍋に包丁の腹や瓶の底でつぶしたにんにく1/2片を入れる。鍋を傾け、にんにくがひたひたに浸かるくらいまでオリーブオイルを入れ、火にかける。きつね色になったら強火にし、1のアサリを炒める。
3 殻の色が変わったら白ワイン150gを加えてふたをする。煮立ったら火を止め、ふたをしたまま5分ほどおき、アサリの口を開ける。
4 アサリの身は取り出す。煮汁は30gずつアイスキューブに入れ、そこに身を均等に加えてそのまま冷凍庫で凍らせる。

＊ 冷凍庫で1カ月保存可。

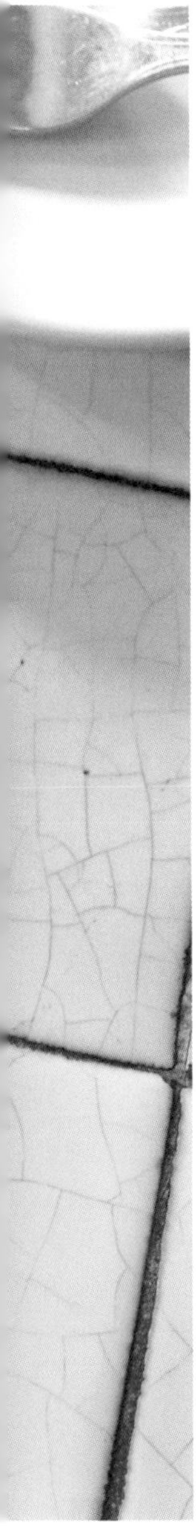

タコのリゾット

Risotto al Polpo

材料（2人分）
イタリア米（p.149）…100g
ゆでダコ…150g
アンチョビフィレ…2切れ
にんにく（p.21）…10g
赤唐辛子…ふたつまみ
オリーブオイル（加熱用）…40g
白ワイン…70g
トマトソース（p.20）…120g
玉ねぎ（粗いみじん切り）…少々
塩…ふたつまみ

1 タコはぶつ切りにする。

2 フライパンににんにく5g、赤唐辛子、オリーブオイル（加熱用）20gを入れて火にかける。にんにくがシュワーッと沸いてきたら、タコとアンチョビを加えて炒め合わせる。白ワインを加え、煮立ったらトマトソースを加える（a）。

3 別のフライパンにオリーブオイル（加熱用・分量外）をひとまわし入れ、玉ねぎを加えてさっと炒める。イタリア米を洗わずに加え、塩をふる。中火にかけ、やさしく混ぜながらパチパチッと音がするまで炒める。

4 **3**に**2**とひたひたくらいに湯を加え、米が好みのかたさになるまで、湯を足しながら20分ほど煮る（b）。

5 残りのオリーブオイル（加熱用）と残りのにんにくを加えてよくあえ、もったりしてくるまで煮る。

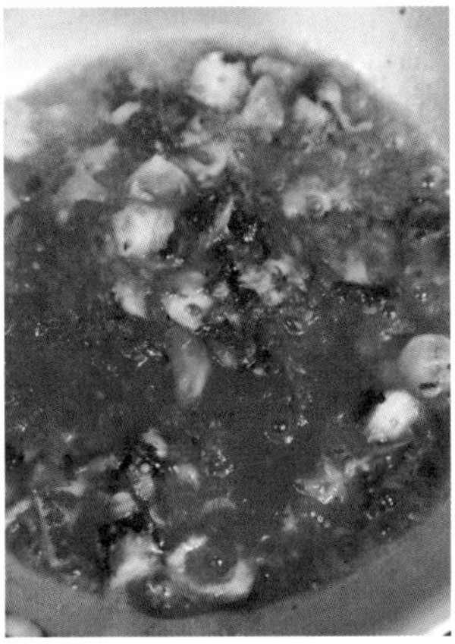

a

b

チーズのリゾット

Risotto al Formaggio

材料（1人分）
イタリア米（p.149）…50g
玉ねぎ（粗みじん切り）…少々
白ワイン…55g
パルミジャーノレジャーノ（けずる）…15g
ブルーデバスク（青カビチーズ p.149）…5g
タレッジョ（ウォッシュ系チーズ p.149）…5g
生クリーム…20g
バター…20g
オリーブオイル（加熱用）…少々
塩…ふたつまみ

1 フライパンにオリーブオイル（加熱用）を熱し、玉ねぎを加えてさっと炒める。イタリア米を洗わずに加え、塩をふる。中火にかけ、やさしく混ぜながらパチパチッと音がするまで炒める。

2 1に白ワインとひたひたくらいに湯を加え、米が好みのかたさになるまで、湯を足しながら20分ほど煮る。

3 ほとんど水分がなくなるギリギリのところで生クリームをまわし入れ、バターとチーズ類を加えてもったりするまで煮る。

＊ ブルーデバスクがなければゴルゴンゾーラを、タレッジョがなければ、シェブールまたは好みのウォッシュ系のチーズを。基本的にはテーブルチーズの余りでよし！

前菜、スープ、主菜

Antipasto, Zuppa, Piatto Principale

白マッシュルームのサラダ

Insalata di Champignon

材料（作りやすい分量）
白マッシュルーム…3個
レモン…1/8個
塩…少々
黒こしょう…少々
オリーブオイル（仕上げ用）…20g

1 マッシュルームは5mmほどの厚さに切る。
2 ボウルに入れ、塩をふって、こしょうを挽き、レモンをしぼる。オリーブオイル（仕上げ用）をまわしかけ、ざっと混ぜて器に盛る。

白マッシュルームのペースト

Patè di Champignon

材料（作りやすい分量）
白マッシュルーム…200g
オリーブオイル（加熱用）…20g
塩、黒こしょう…各適量
白ワイン…ひとまわし
生クリーム…40g
バター…40g

1 マッシュルームは薄切りにする。

2 フライパンにオリーブオイル（加熱用）を熱し、1を炒める。油がまわったら塩をふって、こしょうを挽き、強火で完全に水分がとぶまで炒める。

3 白ワイン、生クリーム、バターを順に加え、煮詰めていく。ぽってりして全体にツヤが出てきたら火からおろし、鍋底を氷水にあてて冷やす。

4 粗熱がとれたらフードプロセッサーにかけてペースト状に攪拌する（a）。

＊ 炒めるときにしっかり水分をとばし、味を凝縮させること。
＊ パスタにのせたり、パンにぬったり、ポテトと合わせたり、焼いたチキンにのせたりしてどうぞ。

a

セロリのにんにくオイル

Sedano con Olio Aromatizzato all'Aglio

材料（作りやすい分量）

セロリ（葉つき）…1本

A

- にんにく（p.21）…小さじ1
- 粗塩…ひとつまみ
- 赤唐辛子…ひとつまみ

ガルム（p.41）…2g

オリーブオイル（仕上げ用）…適量

1 セロリの葉はざく切り、茎は乱切りにする。

2 ボウルに1を入れ、Aを加えてさっと合わせる。

3 ガルムをふってオリーブオイル（仕上げ用）をふたまわしして、ざっと混ぜ合わせる。

ナスとシシトウのカポナータ

Caponata di Melanzane e Friggitelli

材料（作りやすい分量）
ナス…10～15本
シシトウガラシ…300g
トマト…2個
赤唐辛子…ひとつまみ
にんにく（p.21）…小さじ2
トマトソース（p.20）…50g
バジル…1枝
オリーブオイル（加熱用）…適量
塩…適量

1 ナスはヘタを取ってひと口大のざく切りにする。シシトウガラシはヘタを取ってざく切りにする（種はそのまま）。トマトはざく切りにする。

2 鍋に少したまるくらいたっぷりとオリーブオイル（加熱用）を入れ、カンカンに熱してからナスを加えて炒める（油がとばないように気をつけて）。ナスに油がまわったら、シシトウガラシを加えてさらに炒める。オリーブオイルが足りなかったら足す。

3 シシトウガラシに油がまわったらしっかりめに塩をふる。赤唐辛子、にんにく、トマト、トマトソースを順に加え、そのつど混ぜ合わせる。最後にバジルの葉をちぎって加え、水分がほぼとんだら火からおろす。

＊ あたたかいままでも、冷めてもおいしい。

長ねぎのオイル煮

Porri Giapponesi Saltati

材料（作りやすい分量）
長ねぎ…10本
アンチョビフィレ…80g
塩…少々
オリーブオイル（加熱用）…150g

1　ねぎはぶつ切りにし、鍋に入れて全体に軽く塩をふる。アンチョビとオリーブオイル（加熱用）を加えて（a）ふたをし、20～30分、ときどき混ぜながら蒸し煮にする。

＊　火加減は終始中火。鍋から離れる場合は弱火にすること。混ぜるときは鍋底や横についた焦げをこそげて合わせる。少し焦げたくらいのほうがおいしい（b）。
＊　あたたかいままでも、冷めてもおいしい。
＊　冷蔵庫で10～14日間ほど保存可。

a

b

ケールのオイル煮

Cavolo Riccio Saltato

材料（作りやすい分量）
ケール…1kg
にんにく…3片
塩…8g
赤唐辛子…3つまみ
オリーブオイル（加熱用）…400g

1 ケールは洗ってざく切りにする。にんにくは5mmほどの厚さに切る。
2 鍋に1と塩、赤唐辛子、オリーブオイル（加熱用）を入れ（a）、ふたをして火にかける。ときどき、鍋底をこそげるように混ぜながら蒸し煮にし（b）、ケールが半量以下になり、茶色っぽく色づいたら火からおろす。

＊ ケールは火が通る前に水分がなくなってしまうので洗ったときの水分を利用して煮る。
＊ ゆで上げたパスタにのせてもいい。
＊ あたたかいままでも、冷めてもおいしい。
＊ 冷蔵庫で10～14日間ほど保存可。
＊ 同じレシピで菜の花も！

a

b

アジのサラダ

Carpaccio di Suri

材料(作りやすい分量)
アジ(真アジ　青アジ)…80g(フィレ)
レモン…1/8個
ディル(葉を摘んで刻む)…ひとつまみ
ピンクペッパー…4粒
レタス、トレヴィスなどの葉野菜…適量
塩、黒こしょう…各適量
白バルサミコ酢…小さじ2
にんにく(p.21)…ほんの少し
オリーブオイル(仕上げ用)…適量

1 アジは三枚におろして小骨を抜いて皮をひく。皮目に塩をふり、レモンをしぼる。
2 ディルを散らし、ピンクペッパーを手でつぶしながらふってオリーブオイル(仕上げ用)をひとまわしかける。
3 ボウルに葉野菜を手でちぎって入れ、塩、こしょう、白バルサミコ酢を加え、オリーブオイル(仕上げ用)をひとまわしする。ボウルの側面ににんにくをこすりつけ、手で全体をさっと混ぜ合わせる。
4 器に**3**を盛り、**2**を混ぜ合わせてのせる。

アオリイカのサラダ

Carpaccio di Calamari

材料（作りやすい分量）
アオリイカ（刺身用）…1サク
レモン…1/8個
ディル（葉を摘んで刻んだもの）
…ひとつまみ
ピンクペッパー…4粒
レタス、トレヴィスなどの葉野菜…適量
塩、黒こしょう…各適量
白バルサミコ酢…小さじ2
にんにく（p.21）…ほんの少し
オリーブオイル（仕上げ用）…適量

1 アオリイカは薄切りにし、全体に薄く塩をふり、レモンをしぼる。ディルを散らし、ピンクペッパーを手でつぶしながらふってオリーブオイル（仕上げ用）をひとまわしかける。

2 アジのサラダと同様に葉野菜のサラダを作り、1のイカをのせる。

ドレッシングは作りおかない

そもそもドレッシングという考え方があまり理解できないでいる。あらかじめ混ざっているから、味が平たく感じてしまうのかもしれない。サラダには葉、一枚一枚に塩をうつつもりで。それからこしょうを挽いてビネガーをふり、オリーブオイルでコーティングする。これをオーダーが入るたび、毎回行う。だから作りおかないというか、作りおけないのです。

炙りカツオのカルパッチョ

Tagliata di Tonnetto Scottato

材料（2人分）
カツオ…1サク（約200g）
赤玉ねぎ… 20g
ケッパー…10粒
にんにく（p.21）…小さじ2
オリーブオイル（加熱用）…適量
オリーブオイル（仕上げ用）…40g
粗塩…適量
赤唐辛子…ひとつまみ
オレガノ（乾燥）…ひとつまみ

1 カツオはサクのまま、表面にまんべんなくオリーブオイル（加熱用）をぬる。

2 グリルパンをカンカンに熱し、1を皮目からのせて焼く（a）。しっかり焼き目がついたら残りの2面はさっと焼く（b、c）。バットにとり、すぐに冷蔵庫へ入れる（氷水にとったりしない）。

3 2の熱がとれたら1～1.5cmのそぎ切りにし、ボウルに入れる。全体に粗塩をふり、赤唐辛子とオレガノをふる。

4 赤玉ねぎを3mmの厚さに切って加え、ケッパーとにんにくも加えてオリーブオイル（仕上げ用）をまわしかける。手でざっとあえ、器に盛る。

＊ 混ぜすぎると一体化して、それぞれのおいしさが損なわれるので、混ぜすぎないようにすること。

a

b

c

タコとジャガイモの温サラダ

Insalata di Polpo e Patate

材料（2人分）
ゆでダコ…80～100g
じゃがいも（大）…1個
A
　オリーブ…6個
　ケッパー…10粒
　にんにく（p.21）…少々
　イタリアンパセリ（刻む）…軽くひとつかみ
　ディル（刻む）…ふたつまみ
赤ワインビネガー…ひとまわし
オリーブオイル（加熱用）…10g
オリーブオイル（仕上げ用）…適量

1 タコはぶつ切りにし、フライパンに水少々とともに入れてあたためる。
2 じゃがいもはよく洗い、皮ごと2cm角に切る。パスタをゆでる塩加減の湯で8分ほどゆでる。
3 1のフライパンにAとオリーブオイル（加熱用）を入れ、ゆで上がったじゃがいものゆで汁をきって加える。じゃがいもに塩少々（分量外）をふってさっと炒め合わせる。
4 全体に油がまわったら赤ワインビネガーをふり、軽く酸味をとばす。
5 器に盛り、オリーブオイル（仕上げ用）をぐるっとまわしかける。

桃とフェタチーズ、白マッシュルームのサラダ

Insalata di Pesca, Feta e Champignon

材料（作りやすい分量）
桃（大）…1/2個
白マッシュルーム…1/2個
フェタチーズ…1cm角×2個
レモン汁…少々
塩、黒こしょう…各適量
オリーブオイル（仕上げ用）…適量

1 ボウルにマッシュルームを薄切りにし、塩をふって、こしょうを挽く。
2 桃は皮をむいて種を取り、ひと口大に切ってレモン汁をふる。
3 1に2を入れ、フェタチーズを手でつぶしながら加える。オリーブオイル（仕上げ用）をひとまわしかけ、さっと合わせる。

＊ まずはフェタチーズを味見してから塩の量を決めると味がキマりやすい。フェタチーズの塩けが弱いものは塩を少し多めに入れても。

素材が出回るのが時季

「何月になったからこのメニューを出そう」ではなく、鎌倉の市場にこの素材が出てきたら作ろうかな、となる。気候は毎年違うし、作物が実る時季もまた微妙に変わる。暦の上では旬かもしれないが、実際は違うということは少なくない。そんなこともあり、僕は何月に何が出てきて旬ということをあまりよくわかっていない。人間の都合には合わせない。そのときの地球の状態に合わせたらいい。無理はしない。そのほうが化学に頼ることもない自然に育ったもので料理が作れる。それが一番だと思っています。

サバのリエット

Rillettes di Sgombro

材料（作りやすい分量）
サバ…1尾（約500g）
白ワインビネガー…250g
バター…100g
白ワイン…50g
生クリーム…100g
フェンネルシード…少々

1 サバは三枚におろし、腹骨を取り除く。バットに並べ、両面にきつめに塩（分量外）をふって冷蔵庫で3時間ほどおく。
2 サバから出てきた水分をふき取り、白ワインビネガーを加え、キッチンペーパーをかぶせて40分ほど浸ける（白ワインビネガーで塩を洗いつつ）。途中、20分ほどしたら裏返す。
3 2のサバの汁けをふき取り、骨抜きで小骨を抜く。
4 鍋に皮目を下にしてサバを並べ入れ、バターを加えて中火で炒め煮にする。サバに火が通ったら強火にし、ヘラで身をほぐしながら白ワインと生クリームを加える。
5 4を煮詰め、もったりしてきたら火からおろしてボウルにあける。ボウルの底を氷水にあてて冷やし、急冷する。仕上げにフェンネルシードを加えてさっと混ぜる。

＊ 密閉容器に入れ、冷蔵庫で1週間ほど保存可。

サバのポテトサラダ

Insalata di Patate con Sgombro

材料（2人分）
じゃがいも…2個
サバのリエット（上記）…20g
黒こしょう…適量

1 じゃがいもはよく洗って皮ごと乱切りにする。鍋に入れ、軽く塩をふって（分量外）水をひたひたより少なめに加えて火にかける。はじめはいじらず、水分がなくなってきたらヘラでじゃがいもを粗めにつぶしながら水分をとばす。
2 サバのリエットを加え、こしょうを多めに挽いて全体を混ぜ合わせる。

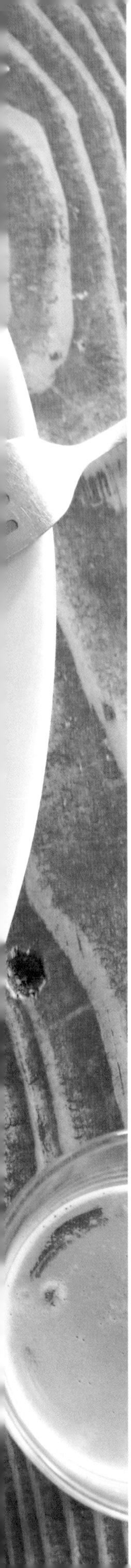

魚介のフリット

Fritto Misto di Pesce

材料（作りやすい分量）
イカ、タチウオ、シコイワシ…各適量
卵…適量
デュラムセモリナ粉…適量
揚げ油…適量
塩、黒こしょう…各適量
レモン…適量

1 イカは中骨をはずし、肝と墨を取り除いて（肝と墨は捨てずに別の料理で使ってください）食べやすい大きさに切る。タチウオは三枚におろし、食べやすい大きさに切る。シコイワシは内臓を取り除き、流水で洗って水けをふく。

2 卵を割りほぐし、1をくぐらせ、デュラムセモリナ粉をまぶしつける。中温に熱した揚げ油でカラリときつね色になるまで揚げる。

3 油をよくきって器に盛り、塩をふって、こしょうを挽き、レモンを添える。

柑橘とウイキョウのサラダ

Insalata di Agrumi e Finocchio

材料（2人分）
日向夏、甘夏、デコポンなど好みの柑橘…1個
ウイキョウの実…少々
レタスなどの葉野菜…適量
塩、黒こしょう…各適量
白バルサミコ酢…小さじ1弱
オリーブオイル（仕上げ用）…ひとまわし

1　柑橘は皮と薄皮をむく。
2　ウイキョウは薄切りにする。レタスなどの葉野菜は食べやすい大きさに手でちぎる。ボウルに合わせ入れ、塩をふって、こしょうを挽き、白バルサミコ酢をふり入れる。オリーブオイル（仕上げ用）をぐるっとまわしかけ、手でさっと混ぜ合わせる。
3　2を器に盛り、1の柑橘をのせる。

水ナスのサラダ

Insalata di Melanzane Mizunasu

材料（2人分）
水ナス…1本
みょうが…1個
バジル…1枚
塩…適量
オリーブオイル（仕上げ用）…適量

1 水ナスは表面に包丁で軽く切り目を入れ、手で食べやすい大きさにちぎる。みょうがは斜め薄切りにする。

2 ボウルに水ナスを入れ、塩を強めにふって軽く混ぜ合わせる。みょうがと手でちぎったバジルを加え、オリーブオイル（仕上げ用）をぐるっとまわしかけてあえる。

僕は手で混ぜるのが好き

気づいたら、ずっと昔から何かを混ぜるときは手でしていた。トングを使ったり、ボウルごと揺すったりすることもあるけれど、どうにもべちゃっとしやすい。ボウルの側面に自分の指をそわせながら素材ひとつひとつを混ぜる。そうすると混ざりすぎない。

野菜と豆のスープ

Minestrone

材料（作りやすい分量）
豆（白花豆、虎豆、紫花豆、
　白インゲン豆など乾燥のもの、
　合わせて）…250g
黒キャベツ…20枚
じゃがいも…2個
セロリ…1本
にんじん…1本
玉ねぎ…1個
にんにく…1片
塩…適量
オリーブオイル（加熱用）…適量
あれば、ボッリートのゆで汁
　（p.99）…カレースプーン4杯

1　豆はたっぷりの水にひと晩つけてもどす（夏場は冷蔵庫で）（a）。

2　鍋に1をもどし汁ごと入れ、オリーブオイル（加熱用）をふたまわし、塩ふたつまみを加えて火にかける。沸騰させないように、水面がやさしくフツフツするくらいの火加減で少しかたさが残るくらいまでゆでる。

3　黒キャベツは茎ごとせん切り、じゃがいもはよく洗って皮ごと1cm角に切る。セロリとにんじんも同じくらいの大きさの角切りにする。玉ねぎは小さめのざく切り、にんにくは包丁の腹や瓶の底でつぶす。

4　別の鍋に3のにんにくを入れ、鍋を傾けてにんにくが浸るくらいまでオリーブオイルをひたひたに加えて火にかける。にんにくが色づいたら取り出し、玉ねぎを加えて炒める。玉ねぎがきつね色になったら、セロリとにんじんを加える。水分が抜けてきつね色になってきたら、じゃがいもを加えて塩を強めにふり、さらに炒め合わせる（b）。

5　全体に油がまわったら、黒キャベツと2の豆をゆで汁ごと加える。水分が足りないようだったら水を加える。ボッリートのゆで汁を加え混ぜ（ここで混ぜたら後はほぼ混ぜない）（c）、15分ほど煮込む。

＊　ボッリートのゆで汁＝牛もつをゆでたときのゆで汁をとっておき、冷蔵保存したもの。ゼラチン質がかたまっている場合は、カレースプーン2杯分くらいを加える。ない場合は、塩を適量加える。

a

b

c

ビーツのスープ

Vellutata di Barbabietola

材料（作りやすい分量）
ビーツ…2個（約600g）
塩…適量
生クリーム、牛乳…各適量
オリーブオイル（仕上げ用）
…適量

1 ビーツは皮ごとひとつずつアルミホイルに包み、200℃のオーブンで1時間半ほど、串がスッと通るまで焼く。

2 冷めたら皮をむき、適当な大きさに切ってミキサーに入れ、塩少々をふって攪拌する。

3 食べるときに適量をボウルに移し入れ、生クリームと牛乳を好みの感じになるまで加えてのばす。器に盛ってオリーブオイル（仕上げ用）をたらす。

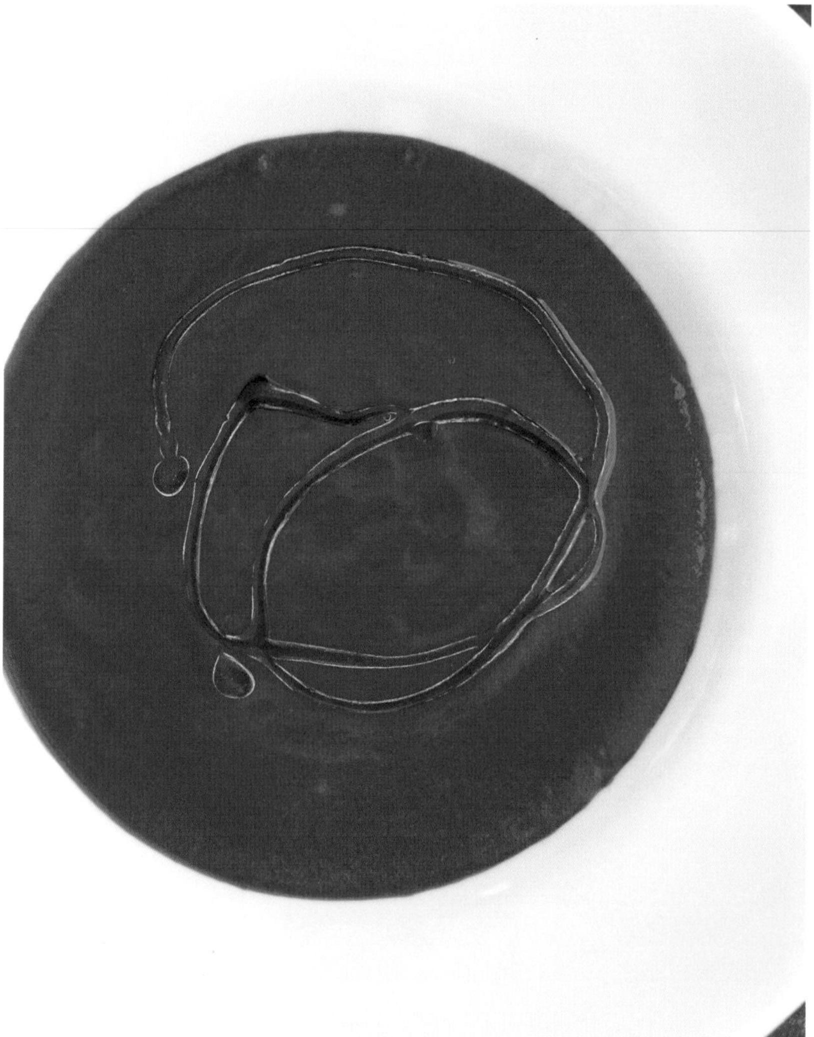

トウモロコシのスープ

Crema di Mais

材料（作りやすい分量）
トウモロコシ…5本
塩…適量
粗塩…少々
生クリーム、牛乳…各適量

1 トウモロコシは皮をむいてヒゲ根を取る。包丁で実をこそげ、塩をふる。
2 鍋に1を入れ、ひたひたに水を加えて火にかける。煮立ったら弱火にし、半分くらいの量になるまで煮る。ボウルにあけ、底を氷水にあてて冷やす。
3 2をミキサーにかけ、少し粒が残る程度に攪拌する。
4 食べるときにボウルに移し入れ、生クリームをひとまわし、牛乳を少々加えて泡立て器で混ぜる。
5 器に盛り、粗塩を2粒ほどふる。

イカと舞茸のソテー

Calamari e Funghi Maitake in Padella

材料（2人分）
イカ（赤イカ、ヤリイカ、アオリイカなど）…100g
白舞茸…80g
塩、黒こしょう…各適量
オリーブオイル（加熱用）…10g
A
- イタリアンパセリ（刻む）…少々
- 赤唐辛子…ひとつまみ
- にんにく（p.21）…小さじ1/2

ヴェッキオ サンペーリ（p.149）…ひとまわし
オリーブオイル（仕上げ用）…適量

1 イカは中骨とワタ、墨を取って、胴とゲソに切り分け、食べやすい大きさに切る。白舞茸は手で食べやすい大きさにさく。強めに塩をふり、こしょうをしっかりめに挽く。

2 フライパンにオリーブオイル（加熱用）を入れ、カンカンに熱する。1を入れ、しばらくいじらずにそのまま焼き、焼き目がついたらざっと炒め合わせてからAを加えて炒める。ヴェッキオ サンペーリをふり、さっと炒める。

3 器に盛り、オリーブオイル（仕上げ用）をぐるっとまわしかける。

イカとズッキーニのソテー

Calamari e Zucchini in Padella

材料(2人分)
イカ(赤イカ、ヤリイカ、アオリイカなど)…100g
ズッキーニ(黄色と緑合わせて)…100g
A
イタリアンパセリ(刻む)…少々
赤唐辛子…ひとつまみ
にんにく(p.21)…小さじ1/2
塩、黒こしょう…各適量
オリーブオイル(加熱用)…15g
ヴェッキオ サンペーリ(p.149)…ひとまわし
オリーブオイル(仕上げ用)…適量
アーモンド(ローストして砕いたもの)…適量
レモン…1/8個

1 イカは中骨とワタ、墨を取って、胴とゲソに切り分け、食べやすい大きさに切る。ズッキーニは1cm厚さの半月切りにし、強めに塩をふり、こしょうをしっかりめに挽く。

2 フライパンにオリーブオイル(加熱用)を入れ、カンカンに熱する。1を入れ、しばらくいじらずにそのまま焼き、焼き目がついたらざっと混ぜ、Aを加えてヴェッキオ サンペーリをふり、さっと炒め合わせる。

3 水分がほぼなくなったら器に盛り、オリーブオイル(仕上げ用)をぐるっとまわしかける。アーモンドを散らしてレモンを添える。

牛タンのさっと焼き

Lingua di Manzo alla Griglia

材料（2人分）
牛タン（皮をむいたもの）…130g
にんにく（p.21）…小さじ1強
赤ワインビネガー…適量
塩…2g
黒こしょう…適量
オリーブオイル（加熱用）…15g
ラー油…少々
オリーブオイル（仕上げ用）…適量

1 牛タンは4～5mmの厚さに切って、塩をふり、こしょうをしっかりめに挽く。
2 1に、にんにくを加えて赤ワインビネガーを全体にかかるくらいにふる（a）。
3 オリーブオイル（加熱用）とラー油を加え、手でよくもむ（b）。
4 鉄のフライパンをカンカンに熱し、3を強火で焼く（c）。カリッとした焼き目がついたら返し、もう片面はさっと焼く。
5 ひと口大に切って器に盛り、オリーブオイル（仕上げ用）をぐるっとまわしかける。

a

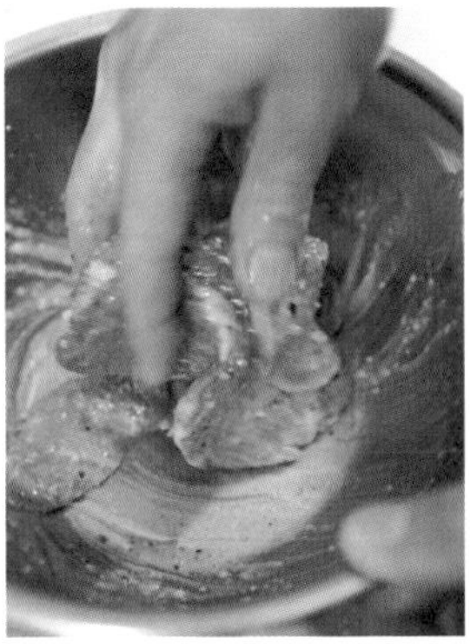
b

c

焼く、炒める

フライパンはカンカンに熱しておくこと。素材を入れたらすぐにいじったりしない。しばらく放っておくくらいでいい。そこで味をとじ込めつつ、おいしい焼き目をつける。弱気になってすぐに素材を動かすと中の味が出てしまい、焼き目もつかずメリハリのない味になってしまいます。勇気を出してギリギリまで……。でも、火傷などにはくれぐれも注意してください。

スカモルツァチーズのソテー

Scottata di Scamorza Affumicata

材料（2枚分）
くんせいスカモルツァチーズ
…1.5cm厚さのもの2枚（約50g）
アンチョビフィレ…少々
にんにく（p.21）…小さじ1/8
オレガノ（乾燥）…少々
オリーブオイル（加熱用）…適量

1 鉄のフライパンをカンカンに熱し、オリーブオイル（加熱用）適量を入れ、チーズを焼く。焼き目がついたら返し、裏面もさっと焼いて器に盛る。

2 同じフライパンにオリーブオイル（加熱用）少々をたらし、アンチョビとにんにくを入れて軽く火を通し、1にかけてオレガノをふる。

揚げピザ

Pizza Fritta

材料（直径25cm、1/2枚分）
ピザ生地（p.120）…80g
バター…10g
アンチョビフィレ…1枚
デュラムセモリナ粉…適量
揚げ油…適量

1 p.120を参考にピザ生地を作る。
2 台の上にデュラムセモリナ粉をふり、1をのせてつぶして平たくする。
3 高温の揚げ油で両面こんがりと揚げる。
4 揚げたてにバターとアンチョビをのせる。

鶏肉と牛モツのボッリート

Bollito Misto

材料（10人分）
鶏手羽元…10本
牛モツ（牛すじや牛ハラミの皮などが入ってもよい）…2kg
塩…適量
グリーンソース
- イタリアンパセリ（刻む）…30g
- パン粉…40g
- にんにく（p.21）…5g
- ケッパー…8g
- アンチョビフィレ…18g
- レモン汁…少々
- 赤ワインビネガー…10g
- オリーブオイル（仕上げ用）…50g

唐辛子オイル
- 赤唐辛子…適量
- オリーブオイル（仕上げ用）…適量

1 鍋に塩適量を入れた湯を沸かし、鶏手羽元と牛モツなどを加えてふたをして3時間ほどゆでる。

2 グリーンソースのすべての材料を混ぜ合わせる。

3 唐辛子オイルの材料をスプーンでつぶしながら混ぜ合わせる。

4 1のゆで汁を軽くきって器に盛り、グリーンソースをのせて唐辛子オイルを添える。

＊ ゆで汁は捨てずに煮詰め、密閉容器に入れ、冷蔵庫で1週間保存可。スープ（p.88）などに加えてコク出しに使う。

小魚の甘酢漬け

Alici in Saor

材料（作りやすい分量）
シコイワシ…200g
準強力粉（リスドオル p.148）…適量
紫玉ねぎ…1/8個
にんじん…15g
セロリ…40g
A
白ワイン…210g
白ワインビネガー…70g
三温糖…35g
塩…3g
レーズン…軽くひとつかみ
オリーブオイル（加熱用）…適量
揚げ油…適量
塩、黒こしょう…各適量
イタリアンパセリ（刻む）…少々

1 シコイワシは内臓と頭を取って流水で洗う。水けをふいて準強力粉をまぶす。
2 紫玉ねぎは繊維に沿って5mm幅に切る。にんじんとセロリは細めの拍子木切りにする。
3 フライパンにオリーブオイル（加熱用）を熱し、2をさっと炒める。Aを加えてとろっとするまで煮詰め、レーズンを加えて混ぜる。
4 揚げ油を高温に熱し、1をしっかりカリッと揚げる。ボウルに入れ、塩をふって、こしょうを挽く。
5 4に3とイタリアンパセリを加えてざっとあえる。

＊ シコイワシは水分が抜け、カリッするまで揚げること。水分が残っていると漬け汁に入れたとき水っぽくなるので注意。

ゴボウのアラビアータ

Radice di Bardana all'Arrabbiata

材料(作りやすい分量)
ゴボウ…3本
揚げ油…適量
にんにく(p.21)…小さじ1
赤唐辛子…ひとつまみ
A
イタリアンパセリ(刻む)
…軽くひとつかみ
トマトソース(p.20)…200g
塩…ふたつまみ
オリーブオイル(加熱用)…20g
オリーブオイル(仕上げ用)…適量

1 ゴボウはよく洗い、5～6cmの長さのぶつ切りにしてから縦半分に切る。

2 鍋に1と冷たいままの揚げ油をひたひたに入れ、中火で20分ほど揚げる。全体がきつね色になり、カラリとしたら油をきってザルにあけ、軽く塩をふって、こしょう(分量外)を挽く。

3 フライパンに、にんにく、赤唐辛子、オリーブオイル(加熱用)を入れ、火にかける。にんにくがシュワーッと沸いてきたらいったん火からおろし、Aを加える。再び火にかけて軽く煮詰め、2を加えて炒めからめる。

4 器に盛り、オリーブオイル(仕上げ用)をぐるっとまわしかける。

ポテトフライ
Patate Fritte

材料(作りやすい分量)
じゃがいも…10個
塩、黒こしょう…各適量
揚げ油…適量

1 じゃがいもはよく洗い、皮ごと丸のまま鍋に入れる。じゃがいもがかぶるくらいの水を加え、水面がうっすらゆらゆらするくらいの火加減で、スッと串が通るくらいまで1時間ほどゆっくりゆでる。
2 1に包丁で切り目を入れ、ひと口大に割る。バットに並べて冷凍保存し、食べるときにそのつど揚げる。
揚げ方 鍋に冷凍しておいた2と冷たいままの揚げ油を入れ、中火で15分ほど、じゃがいもがきつね色になるまで揚げる。油をきって塩をふり、こしょうを挽く。

＊ じゃがいもはやわらかくゆでたほうがおいしいけれど、やわらかすぎると揚げたときにぐちゃっとするので、ギリギリのところを狙ってゆでてください。

じゃがいものラクレットチーズがけ
Fonduta sul Letto di Patate

材料(作りやすい分量)
じゃがいも(中)…2個
ラクレットチーズ(p.149)…70g
白ワイン…20g
バター…20g
生クリーム…50g

1 じゃがいもはよく洗い、皮ごとひと口大に切り、パスタをゆでる湯と同じ塩加減の湯で7～8分ゆでる。
2 フライパンに白ワインとバターを入れて火にかける。バターが溶けて白ワインが煮詰まったら生クリームを加え、フツフツしてきたらラクレットチーズを加える。半溶けになり、もったりしてきたら火からおろす。
3 1の湯をしっかりきって器に盛り、2をかける。

パッパアルポモドーロ

Pappa al Pomodoro

材料（1人分）
フルーツトマト（ざく切り）…1個
トマトソース（p.20）…80g
バゲット系の余ってかたくなったパン…適量
オリーブオイル（加熱用）…25g
バジルの葉…4、5枚
オリーブオイル（仕上げ用）…適量

1 フライパンにオリーブオイル（仕上げ用）以外のすべての材料を入れる。パンとバジルの葉は手で適当な大きさにちぎって加え、水を少し足して弱火にかける。はじめは動かさず、少ししたらヘラでパンをくずしながら煮る。
2 パンが汁を吸ってとろっとしたら、器に盛ってオリーブオイル（仕上げ用）をぐるっとまわしかける。

リボッリータ

Ribollita

材料（1人分）
野菜と豆のスープ（p.88）…100g
トマトソース（p.20）…小さじ1
ライ麦入りのサワー系の余ってかたくなったパン（なければバゲットでも）…適量
オリーブオイル（加熱用）…25g
オリーブオイル（仕上げ用）…適量

1 鍋にオリーブオイル（仕上げ用）以外のすべての材料を入れ（パンはちぎって）、水を少し足して弱火にかける。はじめは動かさず、少ししたらヘラでざっくり混ぜる。
2 パンが汁を吸ってとろっとしたら、器に盛ってオリーブオイル（仕上げ用）をぐるっとまわしかける。

豚肉のパテ

Terrina di Maiale

材料（29.5×8×H6cmのテリーヌ型 1台分）
豚肉…1.5kg
（モモ肉1kg、レバー 200g、背脂300g）
玉ねぎ（中）…1/2個
バター…20g
網脂…約100g
塩…25g
A
ブランデー…10g
白ワイン…50g
ナツメグ…2g
黒こしょう（挽いたもの）…3g
イタリアンパセリ（刻む）…10g
ローズマリー…1枝
ローリエ…3枚

きゅうりのピクルス

Cetrioli Sottaceto

材料（作りやすい分量）
きゅうり…8本
塩…適量
にんにく（皮付き）…1片
A
ローリエ…2枚
コリアンダーシード…軽くひとつかみ
赤唐辛子…ひとつまみ
ディルの茎（葉を摘む）…1パック分
塩…5g
白ワインビネガー…250g
白ワイン…250g

豚肉のパテ

1 豚肉はミンチ機の口に入りやすいよう細長く切る。脂と赤身がくっついているものは特に切り分けず、一緒に切る(a)。脂のみのものは100gほどだけ1cm角に切る(b)。脂のみのもの以外をミンチ状に挽く(c)。ミンチ機がない場合は少量ずつフードプロセッサーにかけるか、包丁で細かく刻む。

2 玉ねぎは粗みじん切りにする。

3 フライパンにバターを熱し、溶けはじめたところで2を加えて軽く炒める。パチパチと音がしてきて水分がとんだら火からおろし、パイ皿の上などで冷ます。

4 網脂は水でやさしく洗い、かたく水けをしぼる。網をやぶらないように気をつけながら、テリーヌ型に敷く(両脇からは少しはみ出るようにする)(d)。

5 ボウルに1、3、Aを入れ、塩を加えて(e)混ぜる(粘りが出すぎると荒々しく仕上がらないので混ぜすぎないように)。この作業はボウルの底に氷水をあてながら行う。

6 4に5を詰める。ゴムベラで5を適量とり、まずはテリーヌ型の両端から詰める(f)。徐々に真ん中に向かって空気が入らないように詰めていく(真ん中をこんもりと山形に)(g)。

7 両脇に出しておいた網脂で表面をしっかり閉じ(h)、ローズマリーとローリエをのせる(i)。ふたをして何度か台の上にテリーヌ型ごとたたきつけ、空気を抜く。

8 100℃のオーブンで2時間ほど湯煎焼きにする(j)。肉の芯温が60℃になったらオーブンから出し、ふたをしたまま粗熱をとる。

9 肉とふたの間にラップで包んだテリーヌ型と同じ大きさの重し(厚手の板など)をし、重しの上からふたをして冷蔵庫でひと晩冷やす(k)。

a

b

c

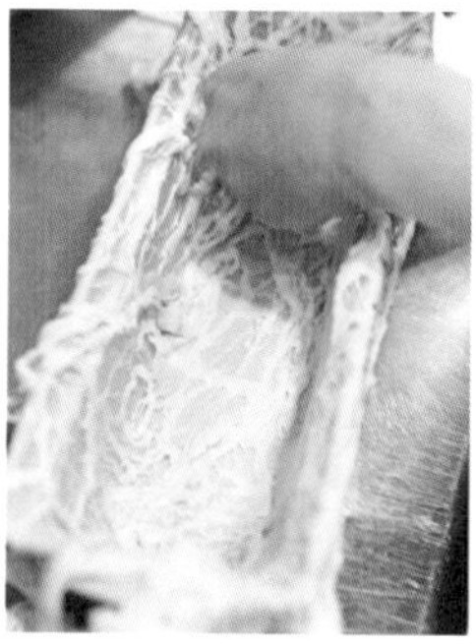
d

e

f

g

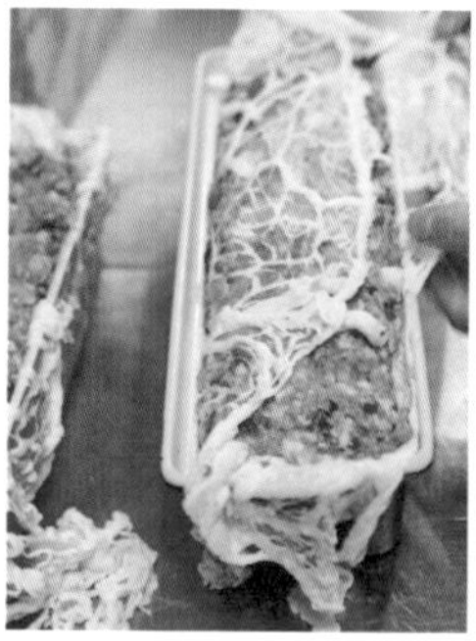
h

i

j

k

切り方、かなり不揃い

お店では素材を同じ大きさに切って揃えようとは思っていません。僕の性格なのか、技術のなさなのか……。むしろ、そのほうが味にメリハリが出て食べ飽きないし、切り揃っていない凸凹した荒々しさが魅力に感じられたりするんじゃないか、と思っています。均一じゃないことがいいときだってあります。

きゅうりのピクルス

1 きゅうりは全体に強めに塩をふって表面をもみ、5時間ほどおく(a)。

2 にんにくは全面真っ黒になるまで皮ごと直火で焼く。

3 鍋に2とA、水2と1/2カップを入れ、火にかける。煮立ったら白ワインビネガーを加え、沸騰直前で白ワインを加える。火を止め、鍋底を氷水にあてて冷ます。

4 1のきゅうりを1.5cmの長さの輪切りにする。

5 3に4を加えて漬ける(b)。翌日から食べられる。

＊ 密閉容器に入れ、冷蔵庫で1カ月保存可。

a

b

アクアパッツァ
Acquapazza

材料（2人分）
カマス…2尾
タイム…1枝
塩…適量
オリーブオイル（加熱用）…適量
オリーブオイル（仕上げ用）…適量

1 カマスはウロコとエラ、内臓や血合いを取り除き、流水で洗い流す。腹に切り込みを入れ（a）、3等分のぶつ切りにする（フライパンに入る大きさ）。
2 お腹の中に軽く塩をしてタイムを等分に詰め（b）、両面に塩をふる。
3 鉄のフライパンをカンカンに熱し、オリーブオイル（加熱用）を入れる。盛りつけるときに表になるほうを下にしてカマスを並べ、強火で焼く。しっかり焼き目がついたら返し、もう片面もしっかり焼く（c）。
4 3に八分目くらいまで水を加え、250℃のオーブンで8分ほど焼く。
5 ガス台に戻し、火にかけながら頭を中心にフライパン内のスープをまわしかける（d）。スープが白く濁ってきたら味見をし、濃ければ水を足す。薄ければそのまま煮詰める。
6 器に盛り、オリーブオイル（仕上げ用）をぐるっとまわしかける。

＊ タイやカサゴで作る場合は1尾で。

a

b

c

d

だしはいらない、水でいい

日本料理のだしってすばらしいと思います。でも、お店ではほとんど“だし”というものを使いません。パスタソースの水分調節も、アクアパッツァもリゾットも、水を使います。だしを加えると味が重くなり、魚本来の味が隠れてしまいますし、躍起になってうまみを追いかけすぎると野暮ったく、食べ飽きる味に……。少量盛りの上品な料理には必要なときがあるかもしれないけれど、うちのような大皿料理のお店にだしは不要と思っています。水で十分。だしは水、水はだし！ くらいの気持ちでやっています。

牛ハラミのタリアータ

Tagliata di Manzo

材料（2～3人分）
和牛ハラミ…200～250g
塩、黒こしょう…各適量
オリーブオイル（加熱用）…適量
オリーブオイル（仕上げ用）…適量

1 牛肉は表面に塩をふって、こしょうを挽き、途中、塩がなじんだらオリーブオイル（加熱用）をまとわせ、常温で30～60分（厚みによって加減する）おく。

2 グリルパンをカンカンに熱し、1の表面を焼く（a）。表面にしっかり焼き目がついたら（b）、裏面も軽く焼く。250℃のオーブンに入れ、2分ほどじんわり火を入れる。オーブンから出して15分ほどおき、余熱でじんわり火を入れつつ休ませる。

3 器に、にんにく（分量外）の切り口をこすりつけ、食べやすい厚さに切った2を盛りつけ、オリーブオイル（仕上げ用）をぐるっとまわしかける。

＊ 焼いている時間は5分もないくらい。常温にもどしたり、焼いたあと休ませることに時間をかける料理。

＊ 盛りつけ前、器ににんにくの切り口をこすりつけることで、食欲増進！　食べ飽きない味わいになる。

a

b

ATELIER
PERCEVAL

豚モモ肉のカツレツ

Cotoletta di Maiale

材料（作りやすい分量）
豚モモ肉（かたまり）…150g
塩、黒こしょう…各適量
準強力粉（リスドオル p.148）…適量
卵…1/2個
パン粉…適量
揚げ油…適量
ペコリーノロマーノ…適量

1 豚肉は筋や余分な脂を取り除く。肉たたきなどでたたき、3mmほどの厚さにのばす。
2 1の片面に塩をふって、こしょうを挽き、準強力粉をまんべんなくつける。
3 卵を溶いて2をくぐらせ、しっかりとパン粉をまぶしつける。できればこの段階でいったん冷凍する。
4 3を解凍し、中温の揚げ油で両面カラリと揚げる。
5 食べやすい大きさに切って、ペコリーノロマーノを軽くすりおろしてかける。

＊ パン粉をつけたあとすぐに揚げると肉がそり上がって縮んでしまうので、いったん冷凍します。繊維が壊れてから解凍したものを揚げると、平らにきれいに揚がります。
＊ パン粉はぜひ自分で作ってみてください。自分で焼いたパンの残りを薄切りにし、あたたかいところやオーブンで乾燥させてからフードプロセッサーで攪拌するだけ。簡単です。
＊ モモ肉を使っているのは、僕が大好きなラーメン屋さんのチャーシューがモモ肉なので、そこをリスペクトして（笑）。

牛テールの赤ワイン煮

Coda di Manzo al Vino Rosso

材料（作りやすい分量）
牛テール…２本（約2.5kg）
セロリ…１本
赤ワイン…適量
塩…適量
準強力粉（リスドオルp.148）…適量
A
にんにく（つぶす）…２片
ローリエ…２枚
黒粒こしょう…３つまみ
コリアンダーシード（あれば）…ひとつまみ
トマトソース（p.20）…50g
オリーブオイル（加熱用）…適量

1 牛テールは余分な脂を取り除き、関節ごとに切る。セロリは大きめのぶつ切りにする。
2 大きめの密閉容器に1を入れ、ひたひたに赤ワインを注ぐ。上からペーパータオルをかぶせ、ひと晩冷蔵庫でおく（a）。
3 2をザルにあけ、ワイン汁をきる。牛肉の全面にひとつひとつ塩をし（これが全体の塩味をキメるので、このまま焼いて食べるくらいの気持ちで）、準強力粉をまぶしつける。セロリは細かく刻む。
4 鍋にAを入れ、鍋を傾けてにんにくが浸るくらいにオリーブオイルを加えて火にかける。にんにくが色づいたら、3のセロリを加えて水分がとぶまで炒め、火からおろす。
5 フライパンにオリーブオイル（加熱用）をやや多めに（肉がデコボコしているのですべての面に油がふれるように）熱し、3の牛肉を並べ入れて焼く（b）。フライパンを傾け、油を全体にまわし、しっかりした焼き目がつくように焼く（c）。
6 5の脂をよくきって4に加える。
7 5のフライパンの脂を捨て、2で浸けておいた赤ワインでフライパンをこそげ、4に加える。残りの浸けていた赤ワインも4に加える。
8 鍋中の水分がひたひたより少ない場合は、さらに赤ワインを足す。トマトソースを加え、肉が少し顔を出すくらいまで水を足し（d）、ふたをして230℃のオーブンで3時間ほど、焼く。途中様子を見て水分が足りない場合はそのつど水を足しながら焼く。
9 肉の脂をしっかりきってバットに移す。
10 鍋中の脂を取り除き、水少々を足して鍋底や脇に残ったソースをこそげながらひと煮し、9のバットに移し入れ、冷めたら冷蔵庫でひと晩ねかせる。
11 翌日以降、食べるときは鍋に牛肉とソースを入れ、水を適量足してゆっくりあたためる。

＊ 10の状態で冷蔵庫で1週間保存可。小分けにして冷凍すれば1カ月ほど保存可。

a

b

c

d

煮込みのソフリットは必要か!?

にんじん、玉ねぎ、セロリなどをじっくり炒めてっていう決まり文句が、煮込み料理のレシピにはよくありますが、僕は牛テールにはセロリ、牛肉のラグー（p.31）には玉ねぎを炒めるくらい。クスクス（p.57）のスープにはなし！ です。しかもじっくり炒めず、強火でさっと炒めるのみ。煮込み料理にはちょっとした支えがあればいい。やりすぎると甘くなりすぎるし、むしろその甘さが邪魔なときってありませんか!?

Pizza,

ピザ、パン

Pane

ピザのこと。

コマチーナは他のメニューが多いこともあり、なかなかピザ生地をこねている時間がとれませんでした。そこで思いついたのが、こねなくていいパン(p.124)の手法を取り入れたピザ生地。この方法なら他の料理の仕込みをしながら作れます。ピザを食べたいけれど、なかなかこねる時間がない！　そんなときはこれを試してみてください。

必死にこねなくていいピザ生地

Impasto per la Pizza

材料(作りやすい分量)
準強力粉(リスドオル p.148)…800g
ピザ用小麦粉(サンフェリーチェ p.148)…200g
塩…30g
インスタントドライイースト…1.7g
ぬるま湯…600g

1 ボウルにすべての材料を合わせ入れ、手でまとめる(a)。まとまったら台に出して、軽くこね、ボウルをかぶせて休ませる(b)。15〜30分たったら軽くこねるを、3回繰り返す。

2 ボウルに戻し入れ、常温で生地が倍以上の大きさになるまでラップをかけて半日ほどおく(c)。

3 台に打ち粉(デュラムセモリナ粉・分量外)をし、2を出してガス抜きする。10等分し(d)、1枚分の分量(直径25cmで160g)ごとに丸めて(e)バットや密閉容器に入れ(f)、常温で生地が倍以上の大きさになるまでラップをかけて半日ほどおく。

＊ ピザ生地は密閉容器に入れ、冷蔵庫で3日間保存可。

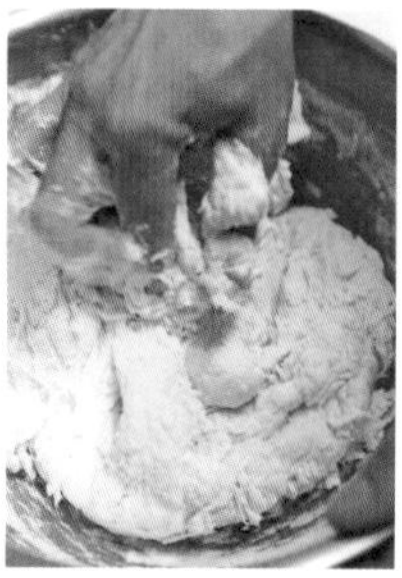
a

b

c

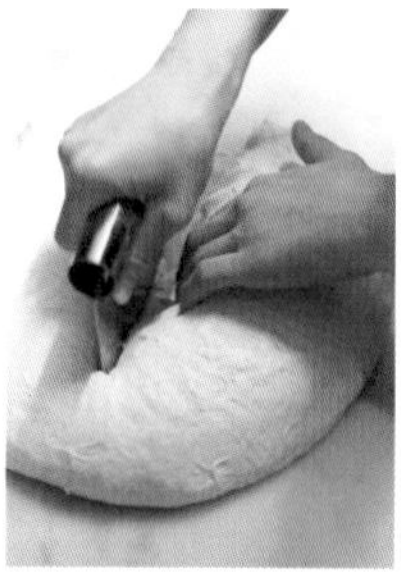
d

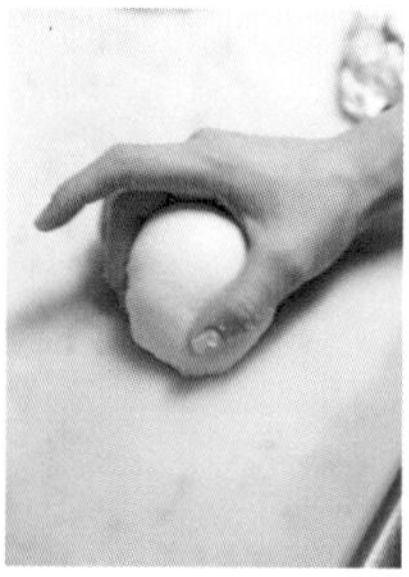
e

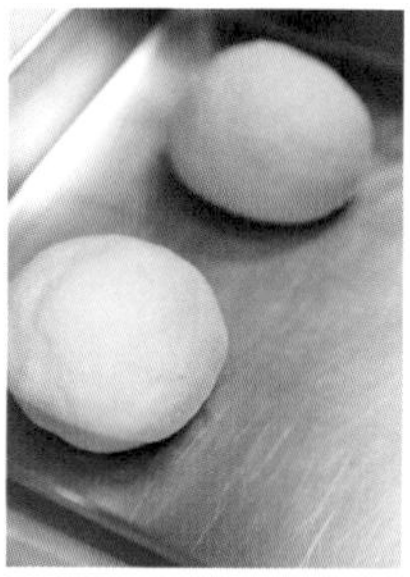
f

紫玉ねぎとサワークリームのピザ

Pizza Bianca con Cipolla e Panna Acida

材料（1枚分）
ピザ生地（p.120）…1枚分
紫玉ねぎ…1/4個
サワークリーム…100g
パンチェッタ…15g
生クリーム…適量
塩…適量

1 紫玉ねぎは5mm厚さに切る。パンチェッタは5mm角に切る。
2 台に打ち粉（デュラムセモリナ粉・分量外）をし、ピザ生地をガス抜きしながら手で丸くのばす。まわりはつぶさないように少し厚みを残す。
3 生地にサワークリームをかたまりで5～6か所のせ、生クリームをふたまわしする。紫玉ねぎとパンチェッタを散らし、紫玉ねぎに塩をする。
4 ピザ窯（500℃）に入れ、1分強、オーブンの場合は280℃で3分ほど焼く。

ゆで卵とペコリーノのピザ

Pizza Bianca con Uovo Sodo e Pecorino

材料（1枚分）
ピザ生地（p.120）…1枚分
ゆで卵…2個
ペコリーノロマーノ…適量
塩、黒こしょう…各適量
オリーブオイル（加熱用）…適量

1 ゆで卵は殻をむいてざく切りにする。
2 台に打ち粉（デュラムセモリナ粉・分量外）をし、ピザ生地をガス抜きしながら手で丸くのばす。まわりはつぶさないように少し厚みを残す。
3 1をのせ、軽く塩をしてオリーブオイルをたっぷりまわしかける。
4 ピザ窯（500℃）に入れ、1分強、オーブンの場合は280℃で3分ほど焼く。
5 ペコリーノチーズ をけずりかけ、こしょうを挽く。

タコのマリナーラ

Marinara con Polpo

材料（1枚分）
ピザ生地（p.120）…1枚分
トマトソース（p.20）…60g
塩…少々
オリーブオイル（加熱用）…適量
A
ゆでダコ…85g
赤唐辛子…ひとつまみ
オレガノ（乾燥）…3つまみ
にんにく（p.21）…小さじ1強
オリーブオイル（加熱用）…10g

1 Aのゆでダコはひと口大に切る。
2 ボウルにAを入れ、混ぜ合わせる。
3 台に打ち粉（デュラムセモリナ粉・分量外）をし、ピザ生地をガス抜きしながら手で丸くのばす。まわりはつぶさないように少し厚みを残す。
4 生地にトマトソースを薄くぬりのばし、軽く塩をして2をのせ、オリーブオイル（加熱用）をまわしかける。
5 ピザ窯（500℃）に入れ、1分強、オーブンの場合は280℃で3分ほど焼く。

パン。

毎朝お店で焼くパンは、フランスパンの神様として敬愛しているドンクの仁瓶利夫さんに教わった、こねない・成形しないフランスパン、リュスティックをベースにしたもの。リュスティックの材料は、粉と塩と水、少量のイーストとモルトのみ。食べ飽きないシンプルな味わい、ザクッとした軽い食感と口溶けの良さ、それに一生懸命こねなくてもおいしいパンが焼けるという魅力に驚き、惹かれました。コマチーナの料理も、毎日でも食べられるシンプルな味わいを目指していますが、そんな料理に寄り添い、過度に主張しない、いい意味でおいしすぎない、でも何となくまた食べたくなっちゃう、そして元気になっちゃう明るいパンを目指して試行錯誤を繰り返してきました。

ここではそのリュスティックの家庭用サイズの分量での作り方とそれを簡単にフォカッチャにする方法、それと悔しいけどこれでいいじゃん……と思えるほどおいしい、僕が毎朝食べているホームベーカリーで焼くパンのレシピを紹介したいと思います（本物のフランスパンに興味がある方は、仁瓶利夫さんの著書『Bon Painへの道』をぜひ手にとってみてください）。

コマチーナのパン

Pane di Comacina

材料（作りやすい分量）

A

- 準強力粉（リスドオル p.148）…125g
- 強力粉（ゆめちからブレンド p.148）…125g
- 塩…4.8g

セミドライイースト…0.5g

モルトシロップ（あれば）…0.5g

ぬるま湯（約30℃）…200g

粗塩…適量

オリーブオイル（加熱用）…適量

打ち粉（ピザ用小麦粉 サンフェリーチェ p.148）…適量

1 ボウルにAを入れ、手でダマをつぶすように軽く混ぜる(a)。

2 分量のぬるま湯にセミドライイースト、モルトシロップを加えて手で混ぜる(b)。

3 2を1に加えて手で混ぜる。粉気がなくなったら20×13×H6cmほどの密閉容器に入れ、ふたをして1時間ほど常温におく(c)。

4 カードを水にぬらして(d)縦横両サイドから中心に向かって生地を折りたたむ(e、f)。再びふたをして冷蔵庫でひと晩おく。

5 翌朝(g)、4を再度、縦横両サイドから中心に向かって折りたたむ。そのままあたたかいところで30分ほどおく。

6 密閉容器の側面に打ち粉をし、密閉容器の側面と生地の間にぐるりとカードを入れる(h)。

7 台に打ち粉をし、6の密閉容器を逆さまにしてゆっくり生地を台に落とす(i)。

8 生地の上からも打ち粉をし(j)、両サイドから中心に向かって生地をたたむ(k-1、k-2)。

9 パンマットに打ち粉をし、8を移す。両サイドが広がらないように板やラップの箱などを置き(l)、上から布をかぶせて(m)、そのまま40分ほど休ませる。

10 天板にオーブン用シートを敷き、9をのせる。フォカッチャは指先で生地の真ん中から外側に向かって穴をあけ(n)、軽く粗塩をふる。穴に向かってオリーブオイルをかける。リュスティックは包丁で好みの感じに切り目を入れる。

11 230℃のオーブンで25分焼く。焼き上がったら網にのせ、粗熱がとれるまでおく。

a

b

c

d

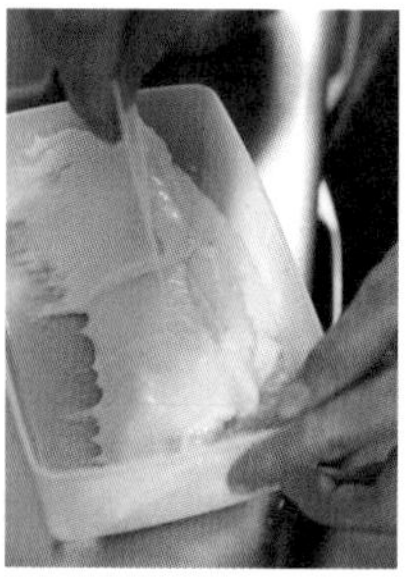

e

f

g

h

i

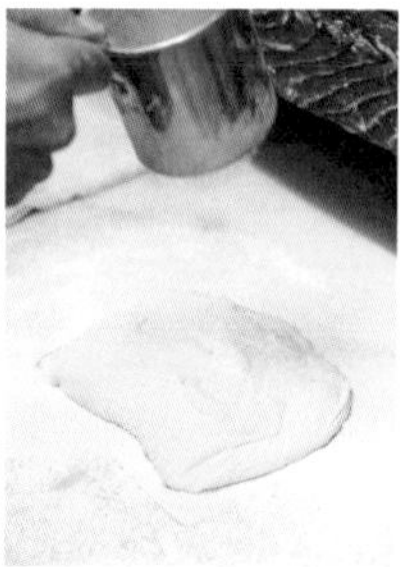

j

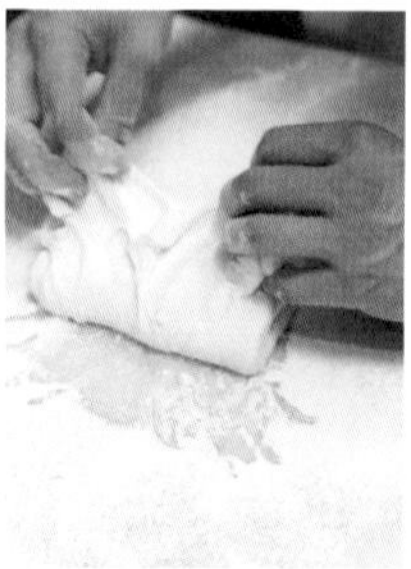

k-1

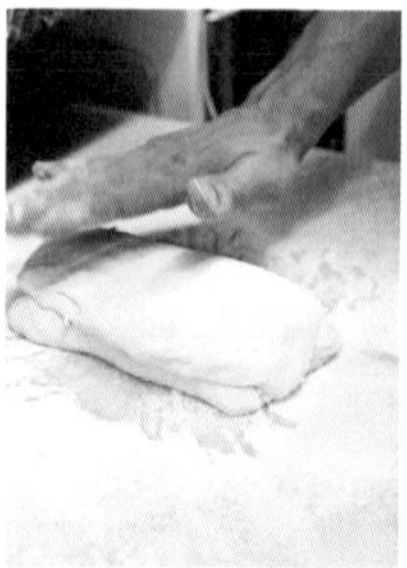

k-2

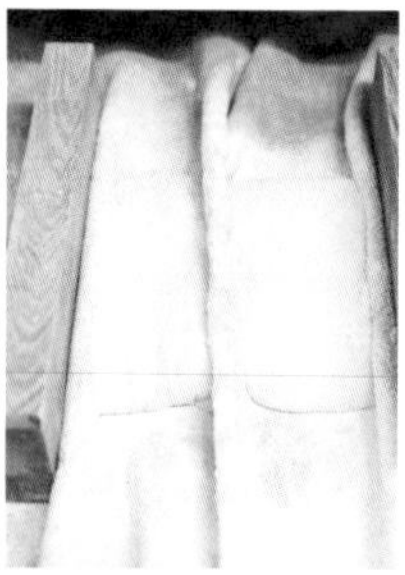

l

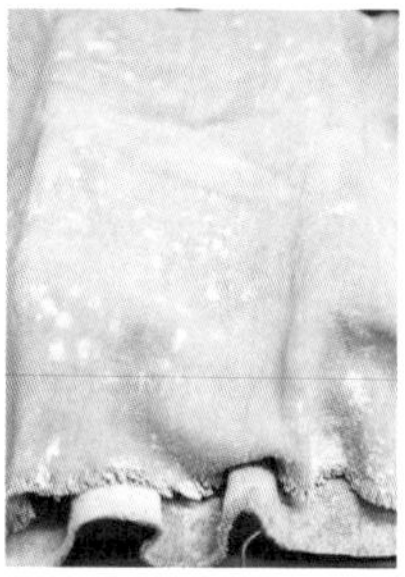

m

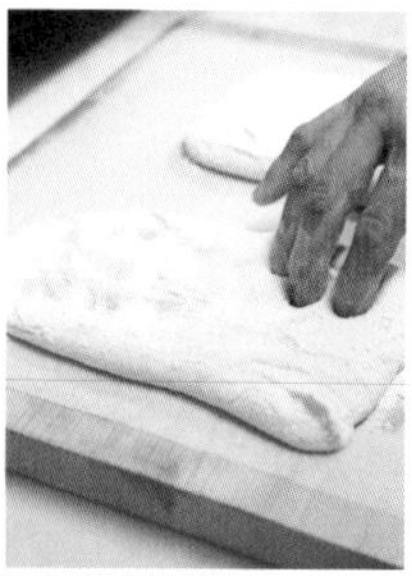

n

ホームベーカリーで焼く家のパン

Pane Fatto in Casa

材料（ホームベーカリー１回分）
準強力粉（リスドオル p.148）…250g
インスタントドライイースト…1.4g
塩…5g
モルトシロップ（あれば）…0.5g
おいしい水…170～190g

1 インスタントドライイースト以外の材料を順にホームベーカリーの内釜に入れる。インスタントドライイーストは所定の場所に入れる。ふたをして、フランスパンコースのマークにセットする。5時間後、焼き上がり（タイマー予約も可）！

＊ いろいろな粉を試して自分の好みをみつけてみてください。

＊ 水は水道水でもいいけれど、いろんなミネラルウォーターを試すのも楽しいです。僕は富士山のバナジウム水がお気に入り。

＊サワークリームを20gほど足すとしっとりし、日本の食パンぽくなります。

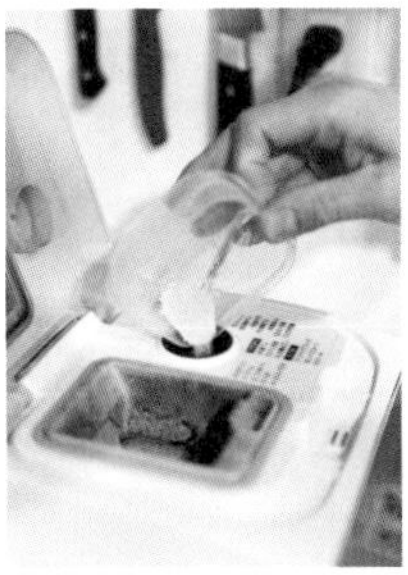

Dolce《ドルチェ》

ババ

Babà

材料（Φ18×H5cmのエンゼルケーキ型1台分）

A

- 軟質小麦粉（ムリーノマリーノ p.148）…75g
- ピザ用小麦粉（サンフェリーチェ p.148）…75g

グラニュー糖…15g

塩…2.5g

インスタントドライイースト…5g

ぬるま湯…30g前後

卵…2個

バター（薄く刻む）…45g

シロップ

- 三温糖…350g
- 水…330g
- ラム酒…125g

1 Aをフードプロセッサーに入れ、軽く混ぜる。

2 フードプロセッサーにシロップの材料以外の残りの材料を順に入れ（a）、そのつど攪拌して混ぜ合わせる（b）。そのまま30～40分あたたかいところにおいて一次発酵させる（c）。

3 フードプロセッサーを1回まわしてガス抜きし（d）、バターを薄く塗った（分量外）型に入れ、15～20分、二次発酵させる（e）。230℃のオーブンで30分焼く（f）。

4 シロップを作る。鍋に三温糖と水を入れ、軽く混ぜながら火にかける。沸騰寸前で火を止め、ボウルに移す。底を氷水にあて、完全に冷めたらラム酒を加える。

5 3を型からはずし、冷めたら4に浸す。上下を入れ替えながら、ラップをかけて冷蔵庫で冷やす（g）。

6 食べやすい大きさに切って器に盛り、やわらかめに立てた甘くない生クリーム（分量外）を添え、浸けていたシロップを生地に適量たらす。

a

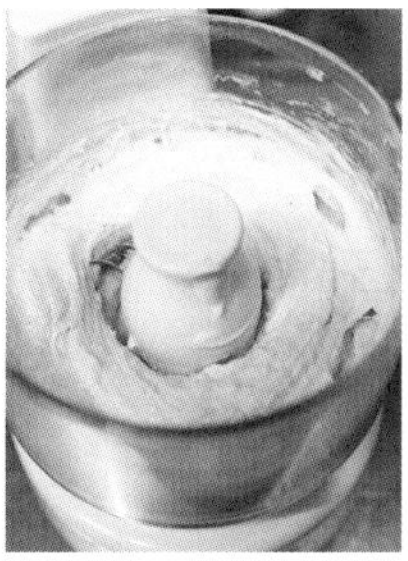

b

c

d

e

f

g

ティラミス

Tiramisù

材料（5～6人分）
卵黄…3個
グラニュー糖…80g
マルサラ酒（p.149）…30g
マスカルポーネチーズ…250g
生クリーム…100g
エスプレッソ…30g
ラム酒…ひとたらし
ビスコッティ・サヴォイアルディ
（なければビスコッティ）…10g
ココアパウダー（カカオバリー）…適量

準備 フライパンに水とふきんを入れ、湯煎用の湯を沸かしておく。

1 ボウルに卵黄とグラニュー糖40gを入れ、泡立て器で混ぜる。白っぽくなり、もったりしたらマルサラ酒を加え混ぜる。

2 1を準備しておいたふきんの上にのせ、湯煎しながら泡立て器で混ぜ続ける。もったりして泡立て器で線がかけるくらいになったら、湯煎をはずしてマスカルポーネチーズを加える。

3 別のボウルに生クリームと残りのグラニュー糖を入れ、ボウルの底に氷水をあてながら、もったりするまで泡立てる。

4 2に3を加えて泡立て器でやさしく混ぜる。

5 抽出したエスプレッソにグラニュー糖を適量（分量外）加え混ぜる。グラニュー糖が溶けたらラム酒を加え混ぜる。

6 ビスコッティ・サヴォイアルディをひと口大に切り、5に入れて染み込ませる。

7 器に6を盛りつけ、4をのせてココアパウダーをふる。

アッフォガート

Affogato al Caffè

材料（作りやすい分量）

ティラミスのクリーム（p.132）
　…適量（食べたい分だけ）

バニラエッセンス…2 〜 3滴

おいしいコーヒー
　…エスプレッソカップ1杯

1 ティラミスのクリームを泡立て器でよく泡立て、バニラエッセンスを加え混ぜ、冷凍庫でひと晩凍らせる。

2 大きめのスプーンで1をくずしながらグラスに盛り、淹れたてのおいしいコーヒーをまわしかける。

リコッタチーズとヘーゼルナッツのケーキ

Torta di Ricotta e Nocciole

材料（18×21cmの天板1台分）
リコッタチーズ…250g
ヘーゼルナッツ…100g
卵…4個
準強力粉（リスドオル p.148）
…50g
バター…200g
グラニュー糖…200g

1 ヘーゼルナッツは200℃のオーブンで10～15分ほど炒る。卵は卵黄と卵白に分ける。バターは常温に出しておく。

2 フードプロセッサーにバターとグラニュー糖150gを入れ、混ぜる。しっかり混ざったら、卵黄を1個ずつ加えて混ぜ合わせる(a)。リコッタチーズを加えてさらに混ぜる。

3 ヘーゼルナッツを袋に入れ、めん棒などでたたき、粗めに砕く(b)。

4 **2**をボウルに移し入れ、**3**を加えて混ぜる(c)。準強力粉をふるいにかけながら加え、ゴムベラで切るように混ぜ合わせる。

5 別のボウルに卵白と残りのグラニュー糖を入れ、角が立つまで泡立てる(d)。

6 **4**に**5**を加え、泡がつぶれないようゴムベラでさっくり混ぜる(e)。

7 天板に薄くバター（分量外）をぬってオーブン用シートを敷き、**7**を流し入れる(f)。200℃のオーブンで40分焼く(g)。

＊ 食べるときにそのつど切り分け、好みでやわらかめに立てた生クリームを添える。

a

b

c

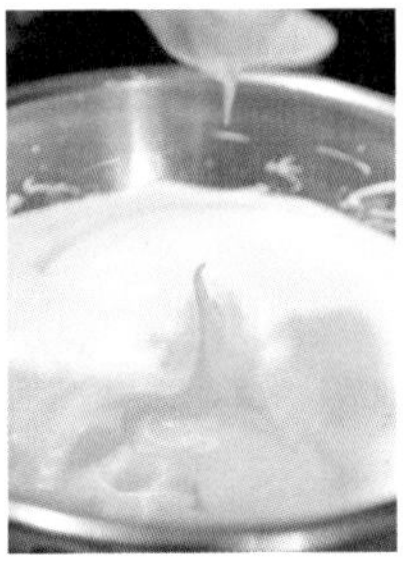
d

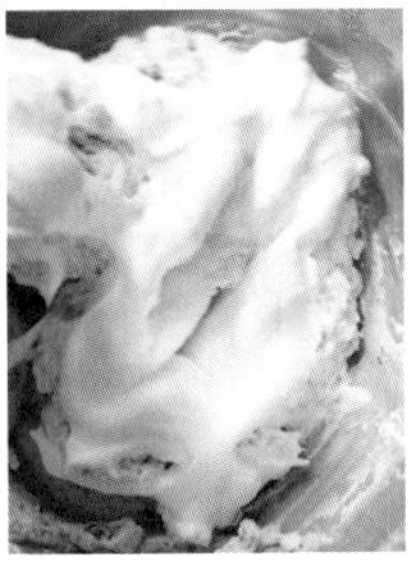
e

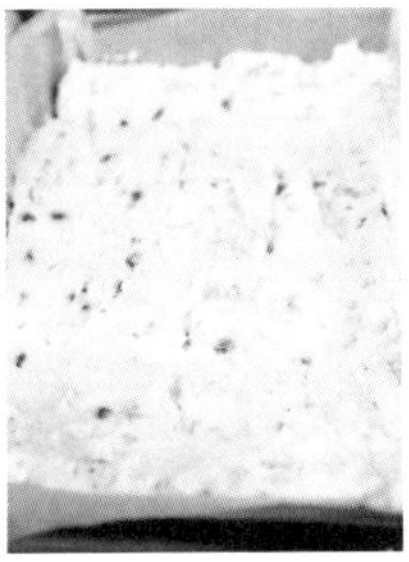
f

g

エスプレッソのパンナコッタ

Panna Cotta al Caffè

材料（直径5.5×H5.5cmのプリン型6個分）
ダブルエスプレッソ…120g
板ゼラチン…5g
生クリーム…500g
グラニュー糖…50g
牛乳…50g
マルサラ酒（p.149）…50g

1 板ゼラチンは水に浸してやわらかくする（夏場は氷水で）。
2 小鍋に生クリームとグラニュー糖を入れ、火にかける。煮立ったら弱火にし、20分ほど煮る。強火にして牛乳を加え混ぜ、再び煮立ったら火からおろす。
3 ゼラチンの水けをしぼって**2**に加え、ヘラで混ぜて溶かす。
4 **3**をザルで濾し、氷水をはったボウルに底をあてて冷やす。
5 濃い目に抽出したエスプレッソを加え混ぜる。
6 粗熱がとれたらマルサラ酒を加え混ぜ、プリン型に流し入れて冷蔵庫で冷やしかためる。

＊ 好みでグラニュー糖を入れてゆるく立てた生クリームをかける。

桃のソルベ

Sorbetto alla Pesca

材料（作りやすい分量）
桃…4個（約900g）
レモン…1個
三温糖…80g

1 桃はよく洗い、半分に割って種をはずし、皮ごと大きめのひと口大に切ってボウルに入れる。
2 レモンをしぼって三温糖を全体にまぶしてさっと合わせる(a)。
3 バットに移し入れ(b)、冷凍庫で2時間半ほど、半凍りにする。
4 食べるときにフードプロセッサーで撹拌し、グラスに盛る。

a

b

レモンとベルガモットのグラニータ

Granita al Limone e Bergamotto

材料（作りやすい分量）
レモン…5個
水…400g
グラニュー糖…50g
ベルガモット（なければ
　リモンチェッロ）…50g

1 レモンは果汁をしぼり、分量の水を加え混ぜる。
2 グラニュー糖を加え混ぜ、溶けたらバットに移し入れて冷凍庫で2時間半ほど、半凍りにする。
3 凍った表面をフォークでガリガリとくずし（a)、ベルガモット（b）をまわしかけ、さらに冷凍庫で凍らせる。

a

b

c

スイカとジンのグラニータ

Granita all'Anguria e Gin

材料（作りやすい分量）
スイカ（大玉）…1/4個
　（約850g）
三温糖…55g
塩…ひとつまみ
レモン…1/8個
ジン…適量

1 スイカは種を取り、ひと口大に切る。
2 フードプロセッサーに入れ、攪拌する（一気に入れるとあふれるので少しずつ）。
3 2をボウルに移し、三温糖と塩、レモンをしぼって加え混ぜ、冷凍庫で2時間半ほど、半凍りにする。
4 凍った表面をフォークでガリガリとくずし、さらに冷凍庫で凍らせる。食べるときに再びフォークでくずし、器に盛ってジン（c）をまわしかける。

ハードプリン

Budino

材料(20×9×H6.5cmのテリーヌ型1台分)

カラメル

- 三温糖…60g
- ヴェッキオ サンペーリ(酸化熟成ワイン)なければマルサラ酒(p.149)…30g

プリン

- 生クリーム…50g
- 牛乳…400g
- 卵黄…2個
- 全卵…2個
- 三温糖…60g

1 カラメルを作る。小鍋に三温糖を入れ、火にかける。ブクブク泡立ち煮立ったら(a)、焦げないようにギリギリまで煮立たせ(b)、いったん火からおろしてヴェッキオ サンペーリを加える。

＊ このとき、蒸気で火傷をしないよう、オーブンミトンをつけて顔は鍋から離して作業すること。

2 型にカラメルを流し入れ(c)、冷蔵庫で冷やしかためる。

3 ボウルに卵黄、全卵、三温糖を合わせ入れ、泡立て器で空気が入らないように混ぜる(卵がほぐれて砂糖と合わさればOK)。

4 別の鍋に生クリームと牛乳を入れ、火にかける。ふわーっと煮立ってきたら火を止め、3にゆっくり加えながら混ぜる。

5 2のカラメルがかたまったら4を流し入れ、170℃のオーブンで90分ほど湯煎焼きする(湯はカラメル部分より少し上くらい。入れすぎないように)(d)。

6 粗熱がとれたら冷蔵庫で1時間ほど冷やす(e)。食べるときに型のまわりを竹串などで一周ぐるりとなぞり、型を皿にあててそっと抜く(f)。

＊ ヴェッキオ サンペーリ(Vecchio Samperi)とはシチリアの銘酒「マルサラ」を酒精強化せずに酸化熟成させたワイン。なければ、マルサラ酒で代用も可。

a

b

c

d

e

f

僕はいつもギリギリが好き

カスタードプリンをハードプリンと名付けたのは、いわゆるなめらかプリンではないことを示したかったから。カラメルは焦げる寸前のギリギリまで煮立たせ、カラメルならではの苦味をしっかり出し、舌の上でとろけるような、なめらかなものではなく、弾力のあるプリンにするため湯煎の湯量をギリギリまで減らして焼き上げています。プリンに限らず僕の料理は全体的にギリギリ。狙っているというと格好がいいけれど、好きな方向を考えるといつも結果、ギリギリな方向になっています。何かを焼くときはギリギリまでいじらず香ばしく、ギリギリまで塩をふる。ギリギリまでパスタをゆでる、ギリギリまで昼寝をする(笑)などなど、いけるところまでいきたいっていう気持ちで仕事をしています。もうちょっといける、そんな自分の感覚を大切にしています。だから毎回同じにはなりにくい。それがいい。だから僕はいつもギリギリが好きなんだと思います。そういえば、お金もいつもギリギリですが……。

チョコレートケーキ

Torta al Cioccolato

材料（21×8×H6cmのテリーヌ型1台分）

チョコレート（ヴァローナ72%）…125g

バター…125g

グラニュー糖…100g

卵…2個

生クリーム…20g

ラム酒…数滴

準備　分量のバターを少しとり、型にぬっておく。卵は常温に出しておく。

1　ボウルにチョコレートとバターを入れ、湯煎の蒸気にかけて溶かし混ぜる（a）。

2　1にグラニュー糖を加え混ぜ、20分ほど湯煎にかけて混ぜる（b）。

3　卵を割りほぐし、2を少しずつ加え（c）、手早く、ツヤが出るまで泡立て器で混ぜる。

4　3を型に流し入れ、型を台の上に軽く落として空気を抜く。230℃のオーブンで20分焼く。粗熱がとれたら冷蔵庫で冷やしかためる。かたまったら型を直火で2～3秒あぶり、逆さまにして型からはずす。

5　生クリームに、グラニュー糖2g（分量外）を加えてゆるめに立て、好みでラム酒をたらす。

6　4を食べたい分だけ切って器に盛り、5を添える。

a

b

c

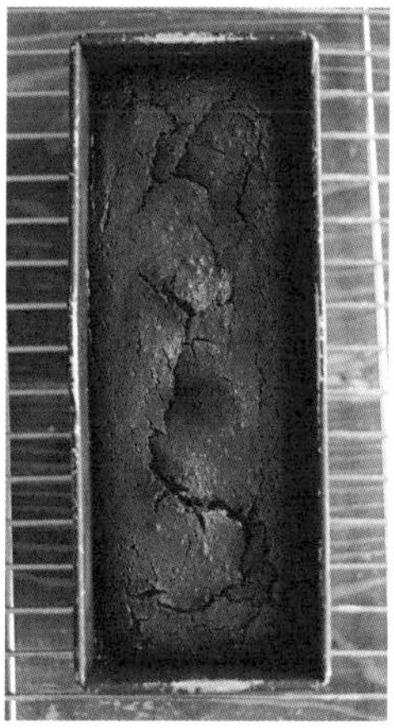

栗のテリーヌ

Mattonella di Castagne

材料（13×10×H6cmの角型1台分）
栗…500g
三温糖…100g
生クリーム…35g
バター…100g
ラム酒…12g

1 栗は鬼皮のまま鍋に入れ、たっぷりの水を加えて火にかける。沸いたら湯面がゆらゆらするくらいの弱火にし、1時間半ほどゆでる。粗熱がとれたら鬼皮と渋皮をむく。ゆで汁はとりおく。
2 1のゆで汁に栗の実を入れ、三温糖を加え混ぜて冷蔵庫でひと晩おく。
3 ゆで汁と栗の実を分け、ゆで汁は鍋底が少し見えるくらいまで煮詰める（a）。栗はフードプロセッサーにかけ、半量はペースト状になるまで（b）、残りの半量は少し粒が残るくらい（c）に攪拌する。
4 3の栗とゆで汁を鍋に移し、練りながら煮る。すっかりペースト状になり、汁けがなくなったら生クリームとバターを加え、さらに練り混ぜる。
5 火からおろし、ラム酒を加え混ぜる。粗熱がとれたらラップを敷いた型に入れ、冷蔵庫で冷やしかためる。

＊ 食べたい分だけ切って皿に盛り、生クリーム20gにグラニュー糖2g（すべて分量外）を加えてゆるめに立て、ラム酒を多めに加えたクリームを添える。

a

b

c

素材のこと。

お店でも、家でも使っている素材はほぼ同じ。何度も何度も自分で食べて、確かめ、気に入ったものだけを使っています。至極少ない材料でそのものの素を味わうために、ギリギリが好きな僕が選んだ譲れない素材を紹介します。よかったらこれらの素材を手に入れて作ってみてください。

パスタ

左のカラフルな袋3つが無農薬有機栽培の小麦を長時間低温乾燥させて作っている「ヴィチドーミニ」。小麦の味がしっかり感じられるスペシャルなもの。紺色と白のラベルは「ラ・テラ・イル・チェロ」。これも有機栽培の小麦をほどよく長時間熟成している、毎日食べられる飽きない味わい。左側の小袋、「コラヴィータ」はクセがなく、いろいろなソースと合わせやすい。

E.V. オリーブオイル

すべてエクストラバージンオリーブオイル。メーカーに特にこだわりはないけれど、左奥のものを加熱用に使用（リッターあたり1000円くらい）。真ん中手前は、中クラスの仕上げ用（リッターあたり2000円くらい）。クセがなく、辛味もほどよい。右奥は濃いめの仕上げ用（リッターあたり3000円以上のもの）。焼いた肉の仕上げなどに使用しています。

塩

大袋2つはイタリアの海塩。左は細かなもので味付け全般に使用。湿気ているときはピザ窯の近くに置いて乾燥させて使用しています。右は大粒の塩でパスタのゆで塩専用。精製塩でゆでたときに比べ、パスタの味がまろやかになります。小袋のものは粗塩で、フランスのちょっといい塩。セロリのにんにくオイル（p.70）や炙りカツオのカルパッチョ（p.76）など、にんにくをガツンときかせた料理に合う気がしています。

小麦粉

大袋はフランスパン用小麦粉で準強力粉の“リスドオル”。味が濃すぎず、重さもちょうどいい。パンはもちろん、料理やデザートにも大活躍している粉。小袋はイタリア ムリーノマリーノ社の軟質小麦粉00番。タヤリン（p.33）やババ（p.130）など、主にイタリアっぽさを出したいときに。パンは、北海道産の強力粉“ゆめちから”と準強力粉の“リスドオル”を合わせ、ピザはイタリア サンフェリーチェ社のピザ用小麦粉を愛用中。

スパイス

オリーブは種付きのもの。ブラックとグリーンの2種を使用。サフランはイタリアの粉末。アンチョビは最高級のイナウディ社のものを使っています。これを使ったらもう元には戻れません！　ケッパーは塩漬けのものを塩抜きして使用。ガルム（魚醤）はイタリア産のもの。赤唐辛子はイタリア産の細かく砕いたものを。黒こしょうとピンクペッパーはオーガニックのものが味わい的にしっくりきています。

チーズ

正直、チーズはあまり好きではなかったけれど、ヴィアザビオ（ヨーロッパからオーガニックにこだわった上質なチーズを直輸入している会社 www.vtb.co.jp）のチーズに出合って一変。主に、ここのフェタチーズ、ラクレット、タレッジョ、ブルーデバスクなどを愛用しています。

生クリーム、牛乳

乳製品は中沢乳業のものを気に入って使っています。牛乳は自然な甘味がいい。生クリームは“Super Fresh Cream”（道東阿寒エリア限定の原料にこだわった高濃度のもの）。生クリームはこれのみ。スーパーではなかなか販売していませんが、これはやめられないおいしさです。

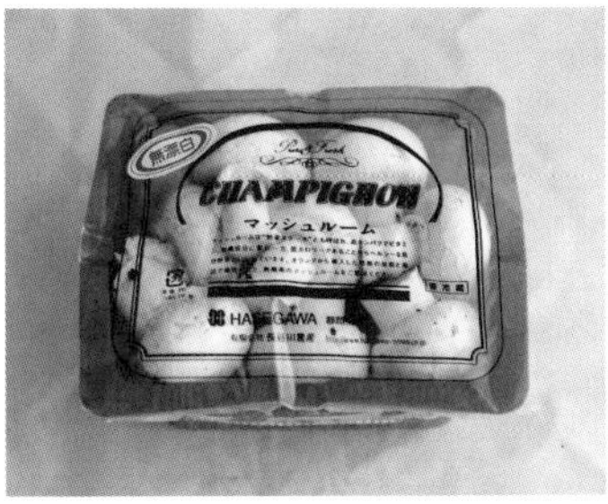

マッシュルーム

静岡県富士市の長谷川農産の白マッシュルーム 。他のマッシュルームを使ったことがないのでわからないけれど、お客さんにはよくお店のようなマッシュルームサラダの味にならないと言われます。それはきっとこのマッシュルームの味わいのおかげだと思います。

トマト缶

カンポグランデ。最初に働いていた職場からトマト缶はずーっとこれを使っています。業務用としてはポピュラーなもの。

米

石川県のたけもと農場の国産イタリア米。日本の品種でも十分おいしく作れますが、なんとなく好きで10年以上使っているもの。

チョコレート

ヴァローナ社のチョコレート。できるだけカカオ分の高いものを！と、意気込んだ時期もあったけれど、あれこれ試してみた結果、自分的には72%に落ちきました。

ワイン、洋酒

左からレモンとベルガモットのグラニータ（p.138）に使用しているベルガモット。ヴェッキオ サンペーリは酒精強化していないマルサラ酒で、パンチのある味と香りが特徴的。イカと舞茸のソテー（p.92）の香りづけなどに。ティラミス（p.132）にはマルサラ酒を。ラム酒はキューバかパナマの12年もの。特別高級でなくてもいいけれど、飲んでおいしいと感じるものを使ってください。料理用ワインは安価なもので十分。

ワインビネガー

左は安価な白ワインビネガー。サバをしめるとき、酢漬け液を作るときなど、大量に必要なときに使用。右は、白バルサミコ酢。やわらかい酸味と甘味がいい。魚介系のサラダに。真ん中は料理の味つけ全般に使用している赤ワインビネガー。肉に添えるサラダやボッリートのグリーンソース（p.98）など、ビネガーの味がダイレクトに出るものは、これを使用しています。

おわりに

いつの日か自分が引退する日がきたら、今までのコマチーナのことを本に残したいと密かに思っていました。
それが、縁あってコマチーナ 10年目の今年、本を作る機会をいただきました。
この10年を振り返り、自分はラッキーだなと思いました。いろいろな人との出会い、物事のタイミングなど、さまざまなラッキーが重なって
今のコマチーナがあるんだなと。
じゃあ自分は何をやってきたんだろうか？
運を除いたら自分には何が残るんだろうと考えてみました。
そうしたら、好きなことに真っ直ぐであり続けることが残りました。

こんなお店があったらいいなを実現するために、ひたすら馬鹿みたいに、
本能のままにパスタを食べたり、ワインを飲んだりしては、
おいしいを考え、追求してきました。
その想いや行動が自分に必要な物事を引き寄せ、
人との出会いへと導いてくれたんだと思います。
そんなわけで、感謝すべき人が多すぎてここにはとても書ききれません。

ただ本書を作るにあたっては、まだまだひよっ子の僕にチャンスを与えてくれた、本職人の赤澤かおりさんや出版社の皆さん、撮影って楽しい！と思わせてくれたカメラマンの広瀬貴子さんと松園多聞さん、ワクワクした気持ちになる中村善郎さんのデザイン。素敵なお皿やテーブルを貸してくれた大家の田代美實さん、休みを返上して手伝ってくれたスタッフの力添えに特別感謝しています。

最後に、
赤澤さんが僕の言葉を、コマチーナのことを、素敵な文章にしてくれました。
それを締めの言葉にしたいと思います。
「メニューはオーソドックスなものが多く、10年間ほとんど変わってない。
あちこちいかず、あれこれやらず、同じことを何度も、何度も、
何万回も繰り返すなかで見えてくる、わかってくることがあります。
けれども極まることなんてそうそうない。一生ないかもしれない。
でもそこを自分なりにグルグル回っている。
ギリギリまでそぎ落としたい。その分、本質に注ぎ込みたい。
そんな想いで毎日厨房に立ち、フライパンをふっています」

コマチーナ 10年目の秋に。
オステリア コマチーナ　亀井良真

亀井良真
Ryoma Kamei
鎌倉 小町のワイン食堂「オステリア コマチーナ」オーナーシェフ。高校時代をオーストラリアで過ごし、帰国。大学を卒業後、鎌倉のイタリア料理店などで修業を重ね、2010年独立。2020年10年目を迎える。プライベートでは南伊豆に通う磯釣り師。

調理アシスタント
野村奈緒子

撮影　広瀬貴子
デザイン　中村善郎（yen）
校正　麦秋アートセンター
イタリア語校正　若松恭子
動画撮影　松園多聞
編集・構成　赤澤かおり

Special Thanks
田代美實
池水陽子

鎌倉《かまくら》 オステリア コマチーナのパスタとつまみ81皿《さら》
daily《デイリー》 PASTA《パスタ》 book《ブック》

2020年9月25日　初版発行
2024年10月15日　4版発行

著者／亀《かめ》井《い》 良真《りょうま》

発行者／山下 直久

発行／株式会社KADOKAWA
〒102-8177　東京都千代田区富士見2-13-3
電話0570-002-301（ナビダイヤル）

印刷所／TOPPANクロレ株式会社

●お問い合わせ
https://www.kadokawa.co.jp/（「お問い合わせ」へお進みください）
※内容によってはお答えできない場合があります。
※サポートは日本国内に限らせていただきます。
※Japanese text only

定価はカバーに表示してあります。

ISBN 978-4-04-896857-7　C0077

鎌倉市農協連即売
ここまで